GEEN JOUR
ZONDER TOUR

TOUR DE FRANCE

COLOFON

©2014, Léon de Kort/Voetbal International

Auteur: Léon de Kort
Met medewerking van Hans-Jörgen Nicolaï/ Infostrada Sports
Tekstbijdragen: Edward Swier

Eindredactie: Martin Donker, Ron Westerhof
Vormgeving: Marc Jeuken
Coördinatie: Marieke Derksen
Drukwerkbegeleiding: Geert Gortzak
Druk: Boom+Verweij, Mijdrecht
Omslagfoto: VI-Images
Fotografie: Cor Vos (pagina 4, 40/41, 42/43, 72,73, 105,
108/109, 210/211 en 240/241), archief Sport International,
archief Léon de Kort, Jan Olav Drenth
Infographics: Infostrada Sports

ISBN: 978 90 6797 083 9
NUR: 489

GEEN JOUR ZONDER TOUR
TOUR DE FRANCE

LÉON DE KORT
I.S.M. INFOSTRADA SPORTS

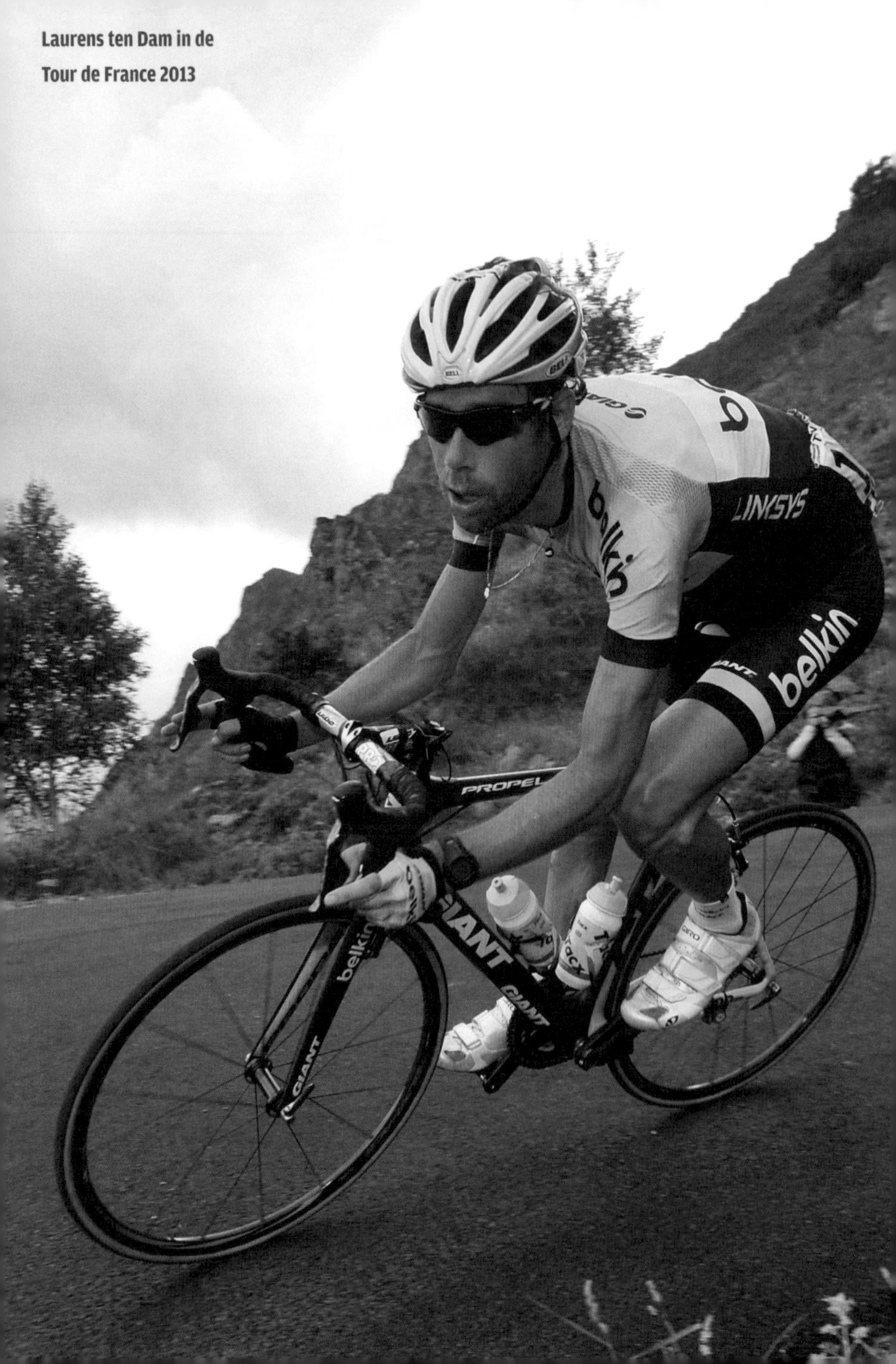

Laurens ten Dam in de Tour de France 2013

Inhoudsopgave

Voorwoord

In december 2013 kreeg ik een beetje verwarrende tekst
via WhatsApp binnen op m'n smartphone. 1992. *Knak,
zei de tulp, gadegeslagen door de oranje kolonie op de
berg. De pechvogel baande zich een weg, onderwijl
roepend dat hij voortaan alleen kleine rondjes zou doen.*
'Lau, welke renner hoort bij deze cryptische omschrijving?' De vraag kwam van Léon, schrijver van dit boek.
Ik had werkelijk geen idee. Maar mijn nieuwsgierigheid
won het van de gemakzucht. Ik had ook kunnen zeggen
dat ik geen tijd had voor die flauwekul. Nee, het tegen-
overgestelde gebeurde. Plotseling wilde ik weten wat
voor verhaal achter zulke, op het eerste gezicht
onsamenhangende zinnen schuilging. Wie of wat had
nou iets te maken met die tulp? En welke landgenoten
werden er bedoeld, op de berg nog wel? Het Grote
Piekeren begon. Voor ik het wist was er een uur
verstreken, zonder dat ik veel wijzer was geworden.
En de auteur hulde zich die avond in een (voor mij)
frustrerend stilzwijgen.

Laurens ten Dam na de finish op de Mont Ventoux samen met Frans Maassen.

De oplossing ken ik intussen, al moet ik bekennen dat ik er niet zelf op ben gekomen. Nooit briljant geweest in cryptogrammen, laten we het daar op houden. Maar dat ik die avond op een dood spoor belandde, was toch ergens goed voor. Want die puzzeltocht maakte me weer hongerig naar de Tour en naar alles wat er met deze meedogenloze en avontuurlijke wielerkoers samenhangt. De geschiedenis van de ronde boeit me mateloos. Ik kan smullen van de kleine anekdotes, de cijfertjes, gekke records of buitengewone prestaties van renners, en bovenal van quizvragen. Het hoeft niet allemaal even nuttig te zijn; non-informatie is soms ook heerlijk om te consumeren.

Geen Jour Zonder Tour is daarom een voltreffer, in vele opzichten. Net zo gevarieerd als de Ronde van Frankrijk zelf. Ik krijg van beide geen genoeg.

Laurens ten Dam
Mei 2014

Inleiding

De Tour de France, dik honderd jaar en springlevend! De geschiedenis van deze jaarlijkse kermis op wielen is zó omvangrijk dat je er moeiteloos uit blijft putten en kunt speuren naar de verborgen juwelen. En die worden alle in hun eigen vitrine uitgestald, met de wens dat vele wielerliefhebbers – en in het bijzonder Tourfans – er úren leesplezier aan beleven. Vive Le Tour! De rode draad in Geen Jour Zonder Tour wordt, bijna vanzelfsprekend, gevormd door de renners. *Les courcurs*. Zonder hen was er in 1903 nooit een Tour ontstaan.

Vanaf dat moment zagen waterdragers, vedettes, kopmannen en knechten, klimmers en sprinters, alleskunners en tijdrijders en niet te vergeten de wegkapiteins hun kans schoon zich te onderscheiden. Rugnummers werden namen, kregen gezichten en sommige mannen groeiden uit tot helden of zelfs idolen, ieder in zijn eigen tijdperk.

Duizenden hebben sinds het begin van de vorige eeuw mogen meedoen aan wat al lang als de grootste wielerrace ter wereld wordt beschouwd. Allen koesteren ze hun eigen memoires, anekdotes en andere wetenswaardigheden, waarvan er gelukkig talloze bewaard zijn gebleven. En het mooie is: ze gaan nooit vervelen.

De coureurs dus gaan voorop in de strijd in dit boek, dat net zo verrassend is als het uitgetekende Tourparcours of de soms onnavolgbare strategieën van ploegen en hun leiders. Van razendsnel te beantwoorden vragen tot crypto's die zich laten vergelijken met een zesvoudige beklimming van l'Alpe d'Huez; van ontroerende pauzenummers in verhalenvorm (rustdagen) tot bijdragen waarin op elk kruispunt weer keuzes moeten worden gemaakt.

De Ronde van Frankrijk, da's drie weken van ongekende spanning en aanstekelijk amusement, teruggebracht tot een gevarieerde belevenis zonder weerga op papier. En weet dat de heilige graal, die betoverende Maillot Jaune, aan het eind van de rit toch echt alleen klaarligt voor de grootste Tourfanaat die kennis aan souplesse weet te paren, en kracht aan koersinzicht...

Ah oui, Le Grand Départ est donné!

GEEN JOUR ZONDER TOUR

TOUR DE FRANCE

1903-1939

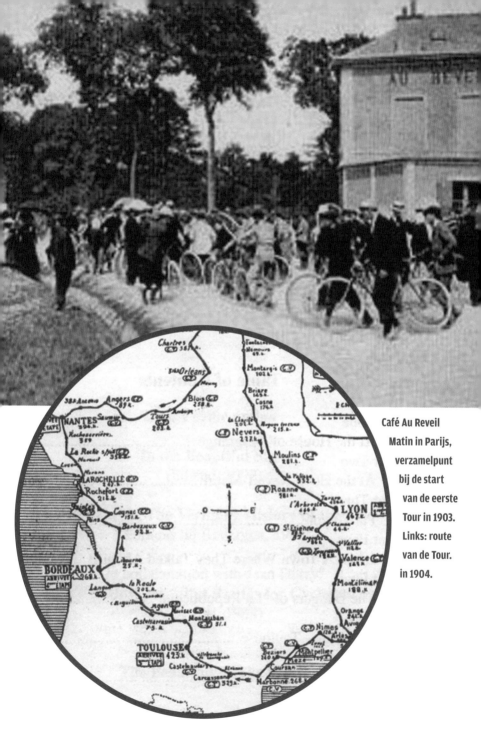

Café Au Reveil
Matin in Parijs,
verzamelpunt
bij de start
van de eerste
Tour in 1903.
Links: route
van de Tour.
in 1904.

1903

De Tour is en blijft van de Fransen

Het verwondert niemand in de (wieler)wereld dat Frankrijk met grote voorsprong de meeste Tourdeelnemers in de geschiedenis heeft gehad. Sinds 1903 probeerden 1.907 verschillende renners van start tot finish mee te rijden. Iets meer dan de helft slaagde daar ook (minimaal één keer) in: 1.004. Nederland vaardigde tot en met 2013 240 coureurs af, van wie er 173 de eindstreep in Parijs passeerden. Daarmee zijn we het vijfde land op de ranglijst, achter de Fransen, de Italianen, de Belgen en de Spanjaarden. Van de eerste achtervolgers Zwitserland (131 volhouders) en Duitsland (85) hebben we voorlopig weinig te vrezen. Argentinië, Costa Rica, Liechtenstein, Tunesië en Hongarije hebben niet veel op met de Ronde van Frankrijk. In alle jaren durfde slechts één man uit deze landen het avontuur aan. Ze hadden weinig succes, zo blijkt uit de annalen van de ronde.
In de pioniersperiode van de Ronde van Frankrijk liet de Tunesiër Ali Neffati zich niet afschrikken door de monsterrit aan de overkant van de Middellandse Zee. Hij meldde zich twee keer aan het vertrek (1913 en 1914), om bij beide pogingen er heel snel achter te komen dat wielrennen

René Pottier, winnaar van de Tour in 1906.

De oorspronkelijke top drie in 1904. Vanaf links: Lucien Pothier (2e), Maurice Garin (1e) en César Garin (3e). Alle drie worden uit het klassement geschrapt wegens onregelmatigheden, waardoor Henri Cornet de boeken ingaat als Tourwinnaar.

in Afrika van een ietwat ander niveau was dan op Europees grondgebied. Op zich niet zo vreemd dat hij wat moeite had met het tempo van de koers: Ali was een pikkie van achttien bij zijn eerste deelname, tot op de dag van vandaag de jongste inschrijver. Na drie ritten had hij reeds een achterstand van bijna vijfenhalf uur. In de vierde etappe, van Brest naar La Rochelle over 470 kilometer, kreeg de uitputting hem te pakken en staakte hij net als 22 anderen de strijd.

Het jaar nadien zong Neffati het veel langer uit. Vol goede moed begon hij op 12 juli 1914 aan de opdracht Perpignan-Marseille, ondanks de ruim tien uur achterstand ten opzichte van de beste van dat moment, de Belg Philippe Thys. De Tunesiër die steevast met een fez als hoofddeksel fietste, bleek echter te verzwakt om te finishen. Eenlingen zouden zich vervolgens pas decennia later vertonen. Om te beginnen Bertram Seger uit Liechtenstein. Hij maakte in 1954, met de start in Amsterdam, deel uit van een gemixte equipe waarin Oostenrijkers en en Luxemburgers waren ondergebracht. De man uit Schaan hield het welgeteld één etappe vol. Amsterdam-Antwerpen wist hij te overbruggen, de dag erop werd er achter zijn naam in de uitslag de letters HD geplaatst. Te laat binnen. Seger, die enkele leuke resultaten had geboekt in de Ronde van Oostenrijk, keerde niet meer terug in de Franse helletocht.

Laszlo Bodrogi mag de enige Hongaarse afgezant zijn, hij was geen doorsnee-renner. Dankzij zijn sterke tijdritten deed Mapei/QuickStep twee keer (2002 en 2003) een beroep op hem voor de belangrijkste wedstrijd van het seizoen. Ook Crédit Agricole stelde hem op in de favoriete negen voor de ronde van 2005. Hij was verschillende keren dicht bij een overwinning in een chrono. Bodrogi had wel een keer beet op het wereldkampioenschap tegen de klok: zilver in Stuttgart (2007). Zijn eindklasseringen in de Tour waren achtereenvolgens 62, 108 en 119. Bodrogi liet zich overigens na verloop van tijd naturaliseren tot Fransman.

Rugnummer 172 van de Tour 2012 behoorde toe aan Juan José Haedo, een Argentijn uit Chascomus (goed 125 kilometer ten zuiden van Buenos Aires). Hij mocht mee met Team CSC, ondanks een dramatische voorbereiding

Italiaanse voorpagina's van
de Tour de France 1904.

in de Dauphiné die hij na twee etappes al verliet. Tijdens
de Tour herpakte hij zich wel enigszins; aan het slot
van de vijfde etappe stortte hij zich vol overgave in de
massasprint, zijn specialiteit. Achter Greipel en Goss
werd hij derde, zijn kortste uitslag.
Costa Ricaan Andrey Amador was een Tourklant in 2011
en 2013. Beide keren voltooide hij de drie weken (166e
in 2011, 54e in 2013), één keer miste hij op een plek de
top tien in een rit (2011, Pinerolo).

AANTAL UNIEKE DEELNEMERS PER LAND

LAND	DEELNEMERS
Frankrijk	1907
Italië	759
België	674
Spanje	438
Nederlands	240
Zwitserland	194
Duitsland	121
Groot-Brittannië	71
Colombia	69
Luxemburg	56
West-Duitsland	51
Australië	46
Denemarken	45
Verenigde Staten	40
Rusland	29
Portugal	27
Oostenrijk	26
Polen	20
Noorwegen	14
Zweden	13
Kazachstan	12
Sovjet-Unie	12
Slovenië	11
Oekraïne	9
Nieuw-Zeeland	9
Canada	8
Litouwen	7
Oost-Duitsland	7
Joegoslavië	6
Letland	6
Tsjechië	6
Algerije	5
Brazilië	5
Slowakije	4
Roemenië	4
Japan	4
Estland	4
Venezuela	4
Wit-Rusland	4
Tsjechoslowakije	3
Zuid-Afrika	3
Moldavië	3
Finland	3
Oezbekistan	3
Mexico	2
Kroatië	2
Argentinië	1
Costa Rica	1
Hongarije	1
Tunesië	1
Liechtenstein	1

1903

Julien Lootens/Samson:
noem het beest bij zijn naam

De liefde voor de sport was groot, het talent ook behoorlijk. Maar Julien Lootens, op 2 augustus 1876 in Wevelgem geboren, vond het maar verrekte lastig om zich in te schrijven voor de eerste Tour de France. Hij zag de schoonheid van het evenement, de uitdaging voor lijf en leden. Maar, voor één ding had hij angst. Liefst zag hij zijn naam niet terug in de krant. Het zou de familienaam – Lootens was van gegoede huize – maar te grabbel gooien. En dus meldde hij zich bij café Au Reveil Matin onder de naam Samson. Een Bijbelse naam, een legende die zijn kracht uit zijn haar putte. Een artiestennaam, zoals nu nog vooral gebruikelijk in het voetbal en de muziekwereld. En destijds onder wielrenners-met-angst-voor-een-slechte-naam ook gemeengoed.

Samson deed het niet slecht, zeker niet. De Belg eindigde in 1903 enkele malen in de top drie, al met al verdiende hij de lieve som van 750 franc. Lootens beëindigde de eerste Tour als zevende. Stond daarna nog driemaal aan de start van de ronde, maar reed 'm alleen in 1905 ook nog uit.

Later was hij de schroom overigens voorbij. De Tour was niet alleen in Frankrijk goed ontvangen, ook in België was er veel enthousiasme voor. Het opende deuren voor Lootens. Zowel in Frankrijk als België gaf hij lezingen

LES SPORTS
SAMSON, *routier belge*

Julien Lootens, alias Samson.

over de grootste sportieve uitda-
gingen. In cafés verhaalde de
coureur, in wat te boek kwam te
staan als een conference, over de
belevenissen in de koers.
Lootens, overigens een van de
drie Belgen die deelnam aan
de eerste Tour, kon daarbij en
passant ook nog verhalen over
deelname aan andere roemruchte
wedstrijden als Parijs-Roubaix en
de Zesdaagse van New York.

Julien Lootens

Kies de juiste route

Meerkeuze, het lijkt zo eenvoudig, maar wat zorgt het dikwijls voor twijfels. Vandaar dat je niet ontkomt aan een rubriek waarin de multiple choice regeert en je tot wanhoop kan drijven. Streep de foute antwoorden weg, of kies de juiste optie, dat kan natuurlijk ook.

1906

Het eerste monument ter herinnering aan een wielrenner staat op de **Col d'Aspin | Tourmalet | Ballon d'Alsace**. Het werd opgericht door de supporters van René Pottier. De Tourwinnaar van 1906 kwam om het leven door een **auto-ongeluk | zelfdoding | een noodlottige val**. Pottier was de man die in 1905 als eerste boven kwam op de allereerste berg ooit beklommen in de Tour. De Ronde zou hij dat jaar niet winnen, vanwege **materiaalpech | verstuikte enkel | uitputting**. Het jaar erop won Pottier wel. Het bracht hem geen geluk. De vrouw die hij adoreerde koos voor een ander. Dat kon Pottier niet verkroppen. Op **23- | 25- | 27**-jarige leeftijd koos hij voor een vroegtijdige dood.

---1913---

Illustere voorgangers?

De eerste Tourdeelnemer van een land... tja, wat de Fransen betreft is het uiteraard onbegonnen werk aan te geven welke renner daarvoor in aanmerking kwam. Dat

geldt voor veel nationaliteiten, omdat er hele ploegen tegelijk van start gingen met pedaalridders die allen hetzelfde land vertegenwoordigden.

Maar natuurlijk zijn er 'zonderlingen' uit contreien waar de wielersport nooit echt van de grond is gekomen of nog schijnt te komen. Zo mag Tunesië er prat op gaan dat dit Afrikaanse land de jongste Tourcoureur ooit heeft voortgebracht: Ali Neffati. Aangetrokken door het bizarre metier van de velo bekwaamde hij zich oorspronkelijk in de baanwielrennerij, een tak die hem verschillende nationale titels opleverde. Nadat de beroemde Franse broers Pélissier hem in het vizier hadden gekregen, accepteerde hij in het voorjaar van 1913 hun uitnodiging de oversteek te maken van Tunesië naar Frankrijk... om deel te nemen aan de Tour. Neffati, van 22 januari 1895, kon zich absoluut geen voorstelling maken van dat evenement, laat staan dat hij er de (financiële) middelen voor had. Geen nood, sporthelden werden ook in de vorige eeuw hartstochtelijk ondersteund. Tal van landgenoten die uitblonken in boksen, worstelen, schermen en baanwielrennen, organiseerden een benefietgala waarvan de opbrengst aan Neffati werd geschonken. Hij kon er zijn overtocht van betalen en besteedde een deel van het geld aan de aanschaf van een racefiets.

Zijn debuut. Bijna vanzelfsprekend draaide dat uit op een 'kleine tegenvaller' voor de pas 18-jarige Ali. De eerste etappe, van Parijs naar Le Havre (388 kilometer), overleefde de tengere durfal die zich vooral onderscheidde door het dragen van een fez. Waar 29 renners direct de strijd staakten, knokte

Octave Lapize, hier bergop lopend in de Pyreneeën, wint in 1910 vier etappes en wordt eerste in het eindklassement.

Neffati zich naar de finish om die na een rit van ruim
zestien uur aan te tikken. De kop was eraf, maar het gat
in zijn energievoorraad was immens. Hij liet zich niet
kisten en haalde ook gewoon de streep van dag twee, Le
Havre-Cherbourg over 364 kilometer. De achterstand op
dagwinnaar Jules Masselis kon ermee door (vijftig minuten), met zijn 44e plaats bleek hij een keurige midden-
moter en sowieso een grotere doorzetter dan de tien
onderweg gesneuvelden. Cherbourg-Brest, een tocht van
405 kilometer, bracht hem een klassering dicht bij de
top dertig (38e), al had hij dik twee uur meer nodig dan
Henri Pélissier. Daarmee was de koek wel op: tussen
Brest en La Rochelle brak de mentale veer bij Neffati.
Hij gaf op, net als 22 anderen. De Tour was net op gang,
maar 61 man waren reeds van het toneel verdwenen.
Hij keerde terug, in 1914, om tot een soort voorlo-
per van Johnny Hoogerland uit te groeien. Vijf etappes verliepen zonder noemenswaardige incidenten,
maar gedurende de zesde rit (Bayonne-Luchon) reed
een wagen van de organisatie hem van de weg. Neffati
crashte zwaar en kon onmogelijk verder. Per auto
vervolgde hij de reis om in Luchon te vernemen dat hij
de Tour kon voortzetten. Dat avontuur hield hij nog twee
dagen vol, toen vond Ali het welletjes. De liefde was
over. Althans, op het sportieve vlak, want na de Eerste
Wereldoorlog dook hij opnieuw op in de karavaan, als
chauffeur van de organisatie.
Engelstaligen? De Tour wordt er tegenwoordig door
overspoeld, terwijl de race de jongste jaren wordt
gedomineerd door Engels sprekende vedetten (Froome,
Wiggins, Evans). De echte Angelsaksische pioniers heten

echter Duncan 'Don' Kirkham
en Iddo 'Snowy' Munro. Dat
Australische tweetal stond in
1914 aan het vertrek van de
ronde. Oorspronkelijk zouden
ze worden vergezeld door vier
andere Aussies, maar dankzij
de grillen van Tourbaas Henri
Desgrange zag dat kwartet de
droom in duigen vallen. De
directeur wilde slechts Kirkham en Munro toelaten, en
dan ook nog als knechten voor
een intussen uitgerangeerde
'ster' van Franse bodem, ene
Georges Passerieu. Het werd
aldus geen doorslaand succes,
al hield het koppel zich prima
staande. Kirkham finishte als
zeventiende, bijna twaalf uur
achter winnaar Pilippe Thys;
Munro vinkte de top twintig
af, op goed twaalf uur van de
Belg die zijn tweede Tour op
een rij won.

Tourwinnaar in 1907: Lucien Petit-Breton

Japanners blijven vooralsnog
zeldzame gasten, getuige de
vier namen die het Tourregister vermeldt. De man die
het spits afbeet namens het land van de Rijzende Zon,
luisterde naar de naam Kisso Kawamuro. Hoewel hij
naar verluidt de prachtigste bekken kon trekken bij zijn

inspanningen, was hij niet geschapen voor dit soort klussen. Kawamuro, afkomstig uit Yokohama, was een kapi-
teinszoon die in 1918 naar Frankrijk verkaste om zich er
in de vliegtuig- en autoindustrie verdienstelijk te maken.
Wielrennen – wat zijn hobby was – werd wat serieuzer
van karakter toen hij hoorde van de Tour. Op 34-jarige
leeftijd beleefde hij de vuurdoop, als touriste-routier,
een zelfstandige coureur zonder ploeg. De wedstrijd van
1926, liefst 5.745 kilometer lang, begon in Evian, de
bakermat van het welbekende mineraalwater, maar de
eindstreep in Mulhouse was op z'n zachtst gezegd een
paar bruggen te ver. Kawamuro probeerde het een jaar
later opnieuw. De 180 kilometer tussen Parijs en Dieppe

waren wederom te veel gevraagd; net als voor 31 collega's duurde de race nog geen dag voor onze Aziaat. Het zou 69 jaar duren voordat er weer een Japanse strijder een rugnummer opspeldde. Hoewel Daisuke Imanaka, een ploeggenoot van de Nederlander Gerrit de Vries bij Polti, het in de Tour van 1996 veel langer volhield, moest hij zich ruim voor het eindpunt gewonnen geven. Nog een bijzondere klant die de rekening ooit opende voor zijn land, in dit geval Canada, is de Québécois Pierre Gachon. Hij werd weliswaar geboren in Parijs (1909),

Kisso Kawamuro

maar na het overlijden van zijn vader (gesneuveld in de Eerste Wereldoorlog) hertrouwde zijn moeder en die bouwde met haar nieuwe liefde een bestaan op aan de andere kant van de oceaan. Vanuit Montreal arriveerde Pierre in 1937 in Parijs om zich met de Europeanen te meten. Het werd een farce. Een passage uit het gerespecteerde blad Miroir des Sports: 'We raakten aan de praat met deze arme Canadees die al vanuit de start van de eerste etappe verloren rondreed. Toen we vroegen waarom hij niet harder kon, verwachtten we een Shakespeare-achtig antwoord. In plaats daarvan kwam er een respons à la Molière. "Maar het gaat uitstekend. Ik kan alleen niet zo snel fietsen als de anderen!" Gachon haalde amper de 25 km/uur, waar de rest van het peloton tegen de 35 aan zat. 'Nog voor de eerste honderd kilometer waren verreden, was Gachon al gestopt. Hij was de enige coureur die deze dag opgaf.'

LES GLOIRES DU CYCLISME
HONORÉ BARTHÉLEMY

1920

Honoré Barthélémy knijpt een oogje dicht

Het was een van de zwaarste valpartijen in de Tour de France, maar het slachtoffer toonde meer karakter dan welke coureur nadien ook. In het Franse woordenboek van Honoré Barthélémy kwam abandonner, opgeven, niet voor.

In de negende etappe, met de eindstreep in Nice, begon een lange lijdensweg voor Barthélémy, die feitelijk tot het einde van zijn wielerloopbaan duurde. De Fransman, nota bene kanshebber voor een hoge eindklassering, kwam hard ten val. Om zijn pijnlijke rug te ontzien verzette de gebutste en geschaafde Honoré inventief zijn stuur, zodat hij niet al te diep voorover hoefde te buigen.

Een ander euvel viel echter niet zomaar op te lossen. Een scherp steentje had het oog van Barthélémy flink beschadigd. Eigenhandig verwijderde de Fransman het kiezeltje, waarna hij verder reed. Aan de streep bleek echter een chirurgische ingreep noodzakelijk: het oog was niet te redden én werd verwijderd.

Het was geenszins een reden voor Barthélémy om op te geven. Hij bleef op de fiets, vulde de oogkas met wat watten. Barthélémy moest wel erg wennen aan zijn beperkte zicht en kwam die Tour nog ettelijke malen ten val. Daarbij brak hij onder meer een pols en ontwrichtte een schouder. Verhalen uit de overlevering reppen ervan dat de Fransman na de streep steevast door supporters van zijn fiets werd getild en naar zijn slaapplaats werd gedragen. De volgende dag stapte hij dan doodgemoedereerd weer op, Barthélémy bereikte de eindstreep als achtste.

Om anderen nog onder ogen te kunnen komen, schafte Barthélémy na de Tour een glazen oog aan. Dat voldeed weliswaar buiten de koers, maar eenmaal weer in competitie bleek de knikker telkens weg te rollen. Naar eigen zeggen gaf de Fransman tijdens zijn carrière een groot deel van zijn inkomsten uit aan vervanging van zijn glazen oog. Telkens verloor hij het op de hobbelige Franse wegen. Na enkele jaren besloot Barthélémy het oog daarom toch maar weer te vervangen door een propje van stof. Bewust van het minder appetijtelijke gezicht, reed Barthélémy het merendeel van de koersen met een lapje voor zijn oog. Eenmaal gewend aan zijn nieuwe uitzicht won Barthélémy, in 1921, toch nog een Touretappe. Die ronde beëindigde hij bovendien als derde. Maar de vijf Tours nadien wist hij geen van alle te finishen. Zodoende blijft z'n debuut in 1919 veruit het beste jaar. Dat seizoen

boekte hij liefst vier ritzeges. Eén daarvan staat in de recordboeken als de traagste etappe ooit in de Tour. In 1919 won Barthélémy de rit van Bayonne naar Luchon, over 326 kilometer, met een gemiddelde van net boven de twintig: 20,7 kilometer per uur.

Tourfiets uit 1924

Vruchtbare bodem in Florennes

Florennes. Zomaar een naam van een gehucht in de
provincie Namen, ten noordoosten van Philippeville
gelegen, waar een dikke 10.000 mensen wonen. Nee,
Florennes zegt weinigen iets, tenzij ze in de jaren tachtig van de vorige eeuw fervente voorvechters waren van
een kernwapenvrije wereld. Want toen werd Florennes
tijdelijk een 'hotspot' op de aardbol, vanwege de plaat-
sing van 48 kruisraketten op de militaire vliegbasis. Dat
gaf wat ellende die tot 1987 zou duren, het jaar waarin
de vernietigingswapens weer verdwenen.

En toch heeft de plaats veel meer historische waarde.
Afgezien van de 'miljoenenverkleving' die Parijs heet,
bestaat er geen plek ter wereld waar twee Tourwinnaars
werden geboren. Onder anderen Firmin Lambot (1919
en 1922) en Léon Scieur (1921) dreven bijna honderd
jaar geleden de Fransen tot wanhoop met hun onverzet-
telijkheid in de ronde der ronden. Lambot (14 maart
1886) debuteerde in 1908 als wielerprof. Hij moest drie
jaar wachten op zijn eerste Tourstart en het zag er in
de aanvangsfase niet direct naar uit dat hij ooit met de
winst aan de haal zou gaan. Een vierde plaats in 1913
was zijn beste uitslag vóór de Eerste Wereldoorlog.
De vijf jaar durende onderbreking bleek geen obstakel
voor de voormalige zadelmaker: in 1919 bracht hij het
Belgische volk in extase door het geel te veroveren.
Het moet gezegd: met enorm veel geluk, want de zeker

Léon Scieur, winnaar 1921

Firmin Lambot, 1919 en 1922

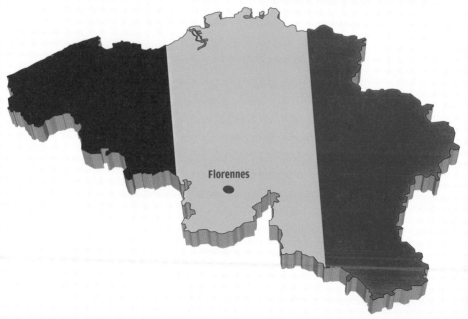

Florennes

lijkende winnaar Eugène Christophe verspeelde zijn zege
door een voorvorkbreuk in de voorlaatste rit.
Lambot had sowieso het geluk aan zijn zijde. In 1922
profiteerde hij van de tegenslag die rivalen als Jean
Alavoine (een tsunami aan lekke banden), Hector Heusghem (tijdstraf na een ongeoorloofde fietswissel) en
Christophe (opnieuw een vorkbreuk!) kregen te verwer-
ken. Hij stapte die zomer het rijk van de laureaten
binnen zonder een etappezege. In voorgaande edities
had Lambot er overigens al zes meegepikt.

Léon Scieur, geboren op 19 maart 1888, was een glas-
blazer bij wie eigenlijk geen sportieve ambities konden
worden ontdekt tot z'n 21e. Ook voor hem betekende
de oorlogstijd een periode van inactiviteit, maar het had
geen nadelig effect op zijn prestatiecurve. Zijn eerste
optreden (1914) sloot hij af op een veertiende plaats,
tien uur achter winnaar Philippe Thys. De hervatting
van zijn carrière ging gepaard met twee vierde plaatsen, in 1919 en 1920. 'De Locomotief' kwam op stoom:
1921 werd zijn jaar, en pech kon hem niet weerhouden
de Tour naar zijn hand te zetten. Legendarisch werd zijn
expeditie van Metz naar Duinkerken, een van de laatste etappes. Op een gegeven moment braken er twee
handen vol spaken in zijn achterwiel. Scieur verving het
kapotte wiel en bond daarna het onbruikbare exemplaar
op zijn rug. De reglementen bepaalden immers dat hij
moest kunnen aantonen dat het wiel defect was. Hij
begon aan een achtervolging op de koplopers die driehonderd kilometer verderop ten einde kwam: achtste in

de daguitslag, maar wel in dezelfde tijd als ritwinnaar Félix Goethals. Zijn heilige missie was volbracht. De Belgische hegemonie in die jaren leidde tot grote verontwaardiging onder de Franse fans. Tussen 1912 en 1922 bouwden onze zuiderburen aan een reeks van zeven opeenvolgende Tourzeges. Dé klapper van die dominantie werd de editie van 1920, toen de eerste zeven plekken in het eindklassement voor Belgische renners waren: Philippe Thys, Heusghem, Lambot, Scieur, Emile Masson, Louis Heusghem (broer van) en Jean Rossius.

Zowel Scieur als Lambot moest het daarop in 1923 zwaar vergelden. Tijdens de beklimming van de Tour-malet (rit zes) nam Scieur een mok koffie aan, niet wetend dat een Franse supporter er een snufje arsenicum in had gedaan. Gevolg: ziekenhuisopname na de aankomst en opgave. Ook Lambot moest het ontgelden. Hij ontdekte dat er een van de trappers onklaar was gemaakt en verder fietsen onmogelijk werd. Frankrijk kon zo eindelijk weer een landgenoot in de armen sluiten (Henri Pélissier).

Lambot en Scieur zijn al lang gaan hemelen. Eerstgenoemde stierf in 1964, Scieur blies zijn laatste adem vijf jaar later uit. Op het kerkhof van Florennes staat een gedenksteen op het graf van Léon: de herinnering aan twee dorpsgenoten die beiden in een ver verleden de besten waren in de grootste wielerwedstrijd van de planeet aarde.

TOURWINNAARS EN HUN GEBOORTEPLAATS

JAAR	TOURWINNAAR	GEBOORTEPLAATS
1903	Maurice Garin (FRA)	Arvier, ITA
1904	Henri Cornet (FRA)	Desvres, FRA
1905	Louis Trousselier (FRA)	Levallois-Perret, FRA
1906	René Pottier (FRA)	Moret-sur-Loing, FRA
1907	Lucien Petit-Breton (FRA)	Plessé, FRA
1908	Lucien Petit-Breton (FRA)	Plessé, FRA
1909	François Faber (LUX)	Aulnay-sur-Iton, FRA
1910	Octave Lapize (FRA)	Montrouge, FRA
1911	Gustave Garrigou (FRA)	Vabres-l'Abbaye, FRA
1912	Odile Defraye (BEL)	Rumbeke, BEL
1913	Philippe Thys (BEL)	Anderlecht, BEL
1914	Philippe Thys (BEL)	Anderlecht, BEL
1919	Firmin Lambot (BEL)	Florennes, BEL
1920	Philippe Thys (BEL)	Anderlecht, BEL
1921	Léon Scieur (BEL)	Florennes, BEL
1922	Firmin Lambot (BEL)	Florennes, BEL
1923	Henri Pélissier (FRA)	Paris, FRA
1924	Ottavio Bottecchia (ITA)	San Martino di Colle Umberto, ITA
1925	Ottavio Bottecchia (ITA)	San Martino di Colle Umberto, ITA
1926	Lucien Buysse (BEL)	Wontergem, BEL
1927	Nicolas Frantz (LUX)	Mamer, LUX
1928	Nicolas Frantz (LUX)	Mamer, LUX
1929	Maurice Dewaele (BEL)	Lovendegem, BEL
1930	André Leducq (FRA)	Saint-Ouen, FRA
1931	Antonin Magne (FRA)	Ytrac, FRA
1932	André Leducq (FRA)	Saint-Ouen, FRA
1933	Georges Speicher (FRA)	Paris, FRA

1934 Antonin Magne (FRA)	Ytrac, FRA
1935 Romain Maes (BEL)	Zerkegem, BEL
1936 Sylvère Maes (BEL)	Zevekote, BEL
1937 Roger Lap	Bayonne, FRA
1938 Gino Bartali (ITA)	Ponte a Ema, ITA
1939 Sylvère Maes (BEL)	Zevekote, BEL
1947 Jean Robic (FRA)	Condé-lès-Vouziers, FRA
1948 Gino Bartali (ITA)	Ponte a Ema, ITA
1949 Fausto Coppi (ITA)	Castellania, ITA
1950 Ferdi Kübler (ZWI)	Marthalen, ZWI
1951 Hugo Koblet (ZWI)	Zurich, ZWI
1952 Fausto Coppi (ITA)	Castellania, ITA
1953 Louison Bobet (FRA)	Saint-Méen-le-Grand, FRA
1954 Louison Bobet (FRA)	Saint-Méen-le-Grand, FRA
1955 Louison Bobet (FRA)	Saint-Méen-le-Grand, FRA
1956 Roger Walkowiak (FRA)	Montluçon, FRA
1957 Jacques Anquetil (FRA)	Mont-Saint-Aignan, FRA
1958 Charly Gaul (LUX)	Pfaffenthal, LUX
1959 Federico Bahamontes (SPA)	San Domingo Caudilla, SPA
1960 Gastone Nencini (ITA)	Bilancino, ITA
1961 Jacques Anquetil (FRA)	Mont-Saint-Aignan, FRA
1962 Jacques Anquetil (FRA)	Mont-Saint-Aignan, FRA
1963 Jacques Anquetil (FRA)	Mont-Saint-Aignan, FRA
1964 Jacques Anquetil (FRA)	Mont-Saint-Aignan, FRA
1965 Felice Gimondi (ITA)	Sedrina, ITA
1966 Lucien Aimar (FRA)	Hyères, FRA
1967 Roger Pingeon (FRA)	Hauteville, FRA
1968 Jan Janssen (NED)	Nootdorp, NED
1969 Eddy Merckx (BEL)	Meensel-Kiezegem, BEL
1970 Eddy Merckx (BEL)	Meensel-Kiezegem, BEL

1971	Eddy Merckx (BEL)	Meensel-Kiezegem, BEL
1972	Eddy Merckx (BEL)	Meensel-Kiezegem, BEL
1973	Luis Ocaña (SPA)	Priego, SPA
1974	Eddy Merckx (BEL)	Meensel-Kiezegem, BEL
1975	Bernard Thevenet (FRA)	Saint-Julien-de-Civry, FRA
1976	Lucien Van Impe (BEL)	Mere, BEL
1977	Bernard Thevenet (FRA)	Saint-Julien-de-Civry, FRA
1978	Bernard Hinault (FRA)	Yffiniac, FRA
1979	Bernard Hinault (FRA)	Yffiniac, FRA
1980	Joop Zoetemelk (NED)	Rijpwetering, NED
1981	Bernard Hinault (FRA)	Yffiniac, FRA
1982	Bernard Hinault (FRA)	Yffiniac, FRA
1983	Laurent Fignon (FRA)	Paris, FRA
1984	Laurent Fignon (FRA)	Paris, FRA
1985	Bernard Hinault (FRA)	Yffiniac, FRA
1986	Greg LeMond (VS)	Lakewood, VS
1987	Stephen Roche (IER)	Dublin, IER
1988	Pedro Delgado (SPA)	Segovia, SPA
1989	Greg LeMond (VS)	Lakewood, VS
1990	Greg LeMond (VS)	Lakewood, VS
1991	Miguel Indurain (SPA)	Villaba, SPA
1992	Miguel Indurain (SPA)	Villaba, SPA
1993	Miguel Indurain (SPA)	Villaba, SPA
1994	Miguel Indurain (SPA)	Villaba, SPA
1995	Miguel Indurain (SPA)	Villaba, SPA
1996	Bjarne Riis (DEN)	Herning, DEN
1997	Jan Ullrich (DUI)	Rostock, DUI
1998	Marco Pantani (ITA)	Cesena, ITA
2006	Óscar Pereiro (SPA)	Pontevedra, SPA
2007	Alberto Contador (SPA)	Madrid, SPA
2008	Carlos Sastre (SPA)	Madrid, SPA

2009 Alberto Contador (SPA)	Madrid, SPA
2010 Andy Schleck (LUX)	Luxembourg, LUX
2011 Cadel Evans (AUS)	Katherine, AUS
2012 Bradley Wiggins (GBR)	Gent, BEL
2013 Chris Froome (GBR)	Nairobi, KEN

Kies de juiste route

Streep de foute antwoorden weg, of kies de juiste optie, dat kan natuurlijk ook.

1919

Liefst twee keer won Firmin Lambot met het nodige geluk de Tour de France. De **Belg | Fransman | Luxemburger** reed feitelijk slechts vijf dagen aan de leiding in de tien rondes waaraan hij deelnam. Lambot staat te boek als **de beste klimmer van de jaren tien en twintig | de eerste gele-truidrager uit België | de knapste wielrenner uit die tijd**. Zowel in 1919 als 1922 had Lambot veel mazzel. Eugène Christophe brak in 1919 zijn **stuur | frame | voorvork** waardoor Lambot hem passeerde. In 1922 zat het ook al niet tegen, Hector Heusghem zag zijn frame knakken, waarna Lambot ook hem voorbijstreefde. Lambot was toen overigens al **35 | 36 | 37**. Hij zou lange tijd de oudste winnaar van een grote ronde blijven.

1924

Hector Tiberghien:
de voorloper van Poulidor

Hij was er wel klaar mee, met dat zogenaamd geweldige avontuur waarbij ambitieuze en sportieve mensen
veranderden in asfaltslaven voor wie de maand juli een
soort kruisweg werd. De Tour de France kon de Belg –
die in 1890 in Waterloo werd geboren en 61 jaar later
ook op Franse bodem kwam te overlijden – voortaan
gestolen worden. 'Het kan niet langer dat we zo weinig
verdienen. We moeten de hele dag trappen, we moeten
kilometers overbruggen, we hebben dorst, we krijgen
de harde broodjes die we moeten eten nauwelijks door
onze keel. Ik heb deze Ronde van Frankrijk 83 frank
verdiend. Een vierderangs bokser slaat in een paar
minuten een leuke eengezinswoning bij elkaar. En ik?
Ik zet alles opzij voor dit luizenloontje. Ik stop ermee',
pruttelde hij na de 5.425 kilometer lange slijtageslag
van 1924, gewonnen door Ottavio Bottecchia.

Of er een bijzondere coureur met hem ging verloren?
Tiberghien was allesbehalve een veelwinnaar, getuige
de enige prijs die zijn erelijst vermeldt: Parijs-Tours
in 1919. Toch verdient hij een plek in dit boek, als
degene die met voorsprong het klassement aanvoert
van mannen die nooit een Tourrit konden bemachtigen,
maar op plaats twee strandden. Het overkwam Tiberghien liefst zes keer. Had-ie waarschijnlijk zelf ook nooit
kunnen bevroeden, na zijn sensationele entree in 1912.
In de eerste etappe die hij bestreed, behaalde hij de

tweede plaats, achter Charles Crupeplandt, reeds tweevoudig ritwinnaar in het verleden en een paar maanden
eerder de beste in Parijs-Roubaix.
Wat Tiberghien niet kon weten, was dat een hinderlijke
onderbreking zijn loopbaan dwarsboomde.
De Eerste Wereldoorlog stal veel sterke
jaren; pas in 1921 stond hij opnieuw aan het
vertrek. Hij finishte prima als vijfde, zonder
grote uitschieters, en nam zich voor het jaar
erop echt te vlammen. Dat lukte, al bleef de
winst uit: tweede in de zevende, de elfde
en de veertiende rit, in alle gevallen op de
streep geklopt. De zesde plaats in de eindafrekening was iets voor de boeken. Helaas.
En ook in 1923 was Tiberghien er twee
keer dichtbij. Nadat het traject van rit vier,
Brest-Sables d'Olonne was afgelegd (412
km) sprintte landgenoot Albert Dejonghe net wat beter.

En twintig dagen verder, toen het peloton Frankrijk
'even' moest oversteken van Metz naar Duinkerken,
bleef de Fransman Félix Goethals hem de baas. Maar er
was een grote troost. In Les Sables trok Tiberghien het
magische geel aan. Hij zou twee dagen leider zijn in 's
werelds grootste wielerkoers.
Nog zo'n pechvogel was Tim Mertens, eveneens Belg.
Hij startte in 1928 als enige renner van Thomann-
Dunlop en zou in vier etappes net naast de overwinning
grijpen. Extra bijzonderheid: zelden zal een eenling zo
constant hebben gepresteerd als hij. In 22 ritten lukte
het Mertens achttien keer bij de eerste tien te eindigen.
Hij zou in Parijs afstempelen als nummer vier.

Bauke Mollema (links) komt vlak achter winnaar Mark Cavendish over de finish in de dertiende etappe in 2013. Rechts: Peter Sagan.

AANTAL TWEEDE PLAATSEN (NED EN BEL)

PERSOON	TWEEDE PLAATSEN	PERSOON	TWEEDE PLAATSEN
Hector Tiberghien (BEL)	6	Frank Vandenbroucke (BEL)	2
Roger Swerts (BEL)	4	Gustaaf Van Roosbroeck (BEL)	2
Victor Leenaerts (BEL)	4	Willy In 't Ven (BEL)	2
Jan Mertens (BEL)	4	Frans Verbeeck (BEL)	2
Marcel Hendrickx (BEL)	3	Gust Verdijck (BEL)	1
Jos Hoevenaars (BEL)	3	Gery Verlinden (BEL)	1
Roger Decock (BEL)	3	Marcel Verschueren (BEL)	1
Gilbert Desmet 1 (BEL)	3	André Vlayen (BEL)	1
Martin Vanden Bossche (BEL)	2	Jos van der Vleuten (NED)	1
Walter Boucquet (BEL)	2	Adri Voorting (NED)	1
Hein van Breenen (NED)	2	Danny Nelissen (NED)	1
Edgard De Caluw	2	Sammy Moreels (BEL)	1
Jan Adriaensens (BEL)	2	Theo de Rooij (NED)	1
Joseph Van Daele (BEL)	2	Julien Lootens (BEL)	1
Léon Jomaux (BEL)	2	Albert van Schendel (NED)	1
Noël Foré (BEL)	2	Roy Schuiten (NED)	1
Maurice Mollin (BEL)	2	Eddy Schurer (NED)	1
Harm Ottenbros (NED)	2	Gustaaf Desmet (BEL)	1
Albert Hendrickx (BEL)	2	Harrie Steevens (NED)	1
Stan Lauwers (BEL)	2	Alfred Steux (BEL)	1
Jef Lieckens (BEL)	2	Peter Stevenhaagen (NED)	1
Cees Lute (NED)	2	Bauke Mollema (NED)	1
Bas Maliepaard (NED)	2	Bram de Groot (NED)	1
William Tackaert (BEL)	2	Robert van der Stockt (BEL)	1
René Vandenberghe (BEL)	2		
Mario Aerts (BEL)	2		

Gerard Veldscholten (NED)	1
Noël Van Clooster (BEL)	1
Ronny Van Marcke (BEL)	1
Emile Lombard (BEL)	1
Jules Lowie (BEL)	1
Georges Lemaire (BEL)	1
Cyriel Van Overberghe (BEL)	1
Louis Petitjean (BEL)	1
Leo van der Pluym (NED)	1
Bert Pronk (NED)	1
Jean Naert (BEL)	1
Marcel Ongenae (BEL)	1
Willy De Geest (BEL)	1
Richard Van Genechten (BEL)	1
Romain Gijssels (BEL)	1
Jo de Haan (NED)	1
Jacques Hanegraaf (NED)	1
Arie den Hartog (NED)	1
Janus Hellemons (NED)	1
Joseph Hemelsoet (BEL)	1
Jaap Kersten (NED)	1
André de Korver (NED)	1
Jan Lambrichs (NED)	1
Piet Damen (NED)	1
Jan van Houwelingen (NED)	1
Frans Aerenhouts (BEL)	1

Nico Emonds (BEL)	1
Michel Dernies (BEL)	1
Michel Vermote (BEL)	1
Maarten den Bakker (NED)	1
Jean-Luc Vandenbroucke (BEL)	1
Axel Merckx (BEL)	1
Geert Verheyen (BEL)	1
Cees Bal (NED)	1
Eddy Beugels (NED)	1
Willy Bocklant (BEL)	1
Henk Boeve (NED)	1
Jos Boons (BEL)	1
Martin van de Borgh (NED)	1
Jos Borguet (BEL)	1
José De Cauwer (BEL)	1
Jean-Baptiste Claes (BEL)	1
Ronny Claes (BEL)	1
Arthur De Cabooter (BEL)	1
Marc Dierickx (BEL)	1
Evert Dolman (NED)	1
Leo van Dongen (NED)	1
Pierre Everaerts (BEL)	1
Noël Dejonckheere (BEL)	1
Paul Deman (BEL)	1
Aimé Déolet (BEL)	1

Bram de Groot eindigt als
tweede in de elfde etappe van
2003. Achter hem Isidro Nozal.

1926

Buysse had geen busrit nodig

6 juli 1926, lang geleden maar nooit te vergeten. Een van de meest legendarische etappes in de geschiedenis van de Tour, met in de hoofdrol een knaap uit het Vlaamse Wontergem: Lucien Buysse. Hij had zich gedeisd gehouden, speelde nog geen rol van betekenis in de rangschikking en gunde landgenoot Gustaaf Van Slembrouck het genot van die betoverende en kracht schenkende gele trui. De Pyreneeën, zo wist Buysse die de voorgaande afleveringen als respectievelijk derde en tweede was geëindigd, zou de hele situatie veranderen. Kennelijk waren de mensen van Bayonne, startplaats van de tiende etappe, daar ook van doordrongen, want om half twee 's nachts wemelde het van het volk op de markt. De befaamde Vlaamse sportjournalist Jan Cornand kon er schitterend over vertellen, onder meer in 'Gouden Lucien Buysse': 'De dwangarbeiders van de weg gelijken bij het spaarzame licht te veel op mekaar: de koerspet diep over de ogen, rond de hals een wollen sjaal, de regenjassen hangen tot over de knieën. Ze doen slechts een keer een handschoen uit, om een haastige, kromme krul op het controleblad te plaatsen. Henri Desgrange, ingeduffeld als een eskimo, kijkt bezorgd. Als het hier in Bayonne al zo koud en nat en huiverig is, wat wordt het dan straks in het hooggebergte? Hij is wel de man die eens schreef dat het zijn droom is met slechts één renner te Parijs het eindpunt te bereiken...'

Het zou inderdaad spoken op deze martelaarsroute naar
Luchon, over de Col d'Osquich, de Aubisque, Col de
Tortes, de Tourmalet, Aspin en Peyresourde. 326 kilometer lijden, van start tot finish. Hoe de dan 34-jarige
Buysse het flikte, is nog altijd een wonder. Waar tientallen coureurs om hun moeder schreeuwden, waar grote
meesters als Bottecchia ontreddderd afstapten en 22 man
in totaal de witte vlag hesen, voelde de Belg geen koude
of vermoeidheid. Hij bikkelde zich over de nagenoeg
onbegaanbare bergpaden, trotseerde de sneeuw- en
regenbuien om na zeventien uur en twaalf minuten met
een staande ovatie te worden ontvangen in Luchon. Zijn
utopische prestatie betekende de sleutel naar de eind-
overwinning in de langste ronde ooit.

Nog een keer schrijver Cornand aangehaald: 'In Luchon
krijgt Buysse een onvergetelijke ovatie, maar de held
van de dag moet met vele handen tegelijk van zijn fiets
worden geheven. Dat kan alleen nadat sportdirecteur
Pierard heel voorzichtig zijn bijna bevroren vingeren van
zijn stuurstang heeft losgewurmd. Hij strompelt, onder
een haastig over hem heen geworpen deken, naar de
controletafel en daar moet men zijn handen dichtknijpen
om nog net het stompje potlood te kunnen vasthouden.
"Een bad... een warm bad", kan Buysse slechts uitbren-
gen. Na een half uur en een zestal nieuwe emmers heet
water, twee stukken zeep en drie washandjes, is hij
weer helemaal, van top tot teen, de herkenbare Lucien
Buysse.'

De aangerichte schade was duizelingwekkend. Van
Slembrouck, die zo zelfverzekerd had verkondigd zijn
huid duur te verkopen? Hij arriveerde met twee uur

Lucien Buysse, 1919.

achterstand. Andere gevaarlijke klanten keken tegen bijna vergelijkbare marges aan. Buysse kon op twee oren slapen. De volgende morgen, of beter middag, kwamen er meer details over de expeditie. Kort voor middernacht waren niet meer dan 47 van de 76 vertrokken renners over de streep gebold. Daarop had de doorgaans onbuigzame Desgrange bepaald dat een soort reddingsbrigade eropuit moest om de 'verdwaalden' op te sporen. Cornands verslag van de nachtelijke taferelen toen Buysse al lang in dromenland verkeerde: 'Drie voor twaalf. Ineens strompelden tien wrakken binnen. Menselijke wrakken, gehuld in de meest zonderlinge en ondenkbare kledingstukken. Ze bekeken aankomstrechter Lucien Cazalis met zijn controleblad vragend, nee smekend aan. Allen plaatsten een krabbel achter hun naam en rugnummer en wilden verdwijnen naar hun hotels. Op dat ogenblik verscheen een autobuschauffeur in het deurgat, tomaatrood van woede en met molenwiekende handen. "Het is een schandaal!", tierde hij. "De smeerlappen zijn mijn bus ingekropen en ik heb ze naar hier gebracht en nu wil niemand mij voor die extra rit betalen!" "Waar heb je die vracht opgeladen?", wilde Cazalis weten. "In Bagnères-de-Bigorre!" Cazalis kreunde. Die tien hadden alvast een groot gedeelte van het parcours niet per fiets afgelegd. In wezen hadden ze de strijd gestaakt. Maar hij herinnerde zich de woorden van Desgrange, informeerde hoeveel er te betalen was en gaf de gevraagde som, plus een fooi.'

Buysse? Die moest hartelijk lachen om alle ellende. En kopieerde zijn dagzege fijntjes in de elfde etappe, daarmee nog eens benadrukkend dat hij de allergrootste van 1926 was.

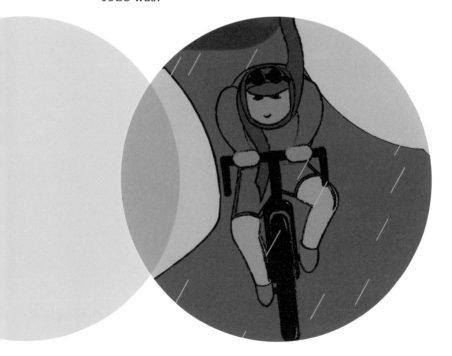

1927

475 witte vlaggen in rit 1

475 keer DNF *(did not finish)* in rit 1 of de proloog.
Omgerekend zijn dat twee dik gevulde Tourpelotons
van renners die niet eens de meet hebben gezien van
het eerste hoofdstuk van hun ronde. Het gebeurt tegenwoordig niet al te vaak meer dat renners bij wijze van
spreken 'op weg naar het front' al op een bermbom stui-
ten. De coureurs van nu zijn beter voorbereid en weten
sowieso waaraan ze beginnen. Zou dat ook zijn opgegaan
voor al die aangewaaide nieuwsgierigen aan het begin
van de vorige eeuw? Zij konden nog geen verhalen uit
de overlevering teruglezen, laat staan dat ze wisten
hoelang een etappe over onbegaanbare paadjes en duis-
tere bergweggetjes zou duren en welke ontberingen die
met zich meebracht.
Dan veronderstel je dat zeker in de aanvangsfase van
het evenement de grootste slagvelden zich voordeden.
Dat klopt voor een deel. In 1903 hielden er 23 coureurs
mee op voordat ze de oversteek van Parijs naar Lyon (!)
hadden voltooid. Een jaar later waren dat er drie meer,
en in 1906 en 1913 moesten er bijna dertig figuranten
erkennen dat een Tour de France-etappe iets te hoog
gegrepen was. 1927 spant evenwel de kroon: dat jaar
was het exit voor 35 renners, meer dan een vijfde van
het totaal aantal deelnemers. Er was overigens een
plausibele reden voor. Om de wedstrijd aantrekkelijker
te maken meende organisator Desgrange dat een dagelijkse massasprint moest worden voorkomen. Daarom

voerde hij een nieuwe methode in: de sponsorteams zouden achter elkaar starten, met een tussenpose van steeds een kwartier. De individuele touriste-routiers moesten wachten totdat de ploegen waren vertrokken. Zo ontstond er een soort ploegentijdrit die uiteraard behoorlijk catastrofaal voor de solorijders uitpakte, want zij dienden de afstand alleen af te leggen en niet langer in de veilige schoot van een peloton.

OPGAVE IN DE PROLOOG (P) OF EERSTE ETAPPE (E1)

JAAR	E/P	PERSOON	REDEN
1903	E1	Hippolyte Aucouturier (FRA)	Niet gefinisht
1903	E1	Louis Barbrel (FRA)	Niet gefinisht
1903	E1	Bédène (FRA)	Niet gefinisht
1903	E1	Claude Chapperon (FRA)	Niet gefinisht
1903	E1	Henri Charrier (FRA)	Niet gefinisht
1903	E1	Auguste Daumain (FRA)	Niet gefinisht
1903	E1	Victor Dupré (FRA)	Niet gefinisht
1903	E1	Leon Durandeau (FRA)	Niet gefinisht
1903	E1	L. Fougère (FRA)	Niet gefinisht
1903	E1	Emile Georget (FRA)	Niet gefinisht
1903	E1	Lassartigue (FRA)	Niet gefinisht
1903	E1	Paul Mercier (SUI)	Niet gefinisht
1903	E1	Benjamin Mounier (FRA)	Niet gefinisht
1903	E1	Armand Périn (FRA)	Niet gefinisht
1903	E1	François Poussel (FRA)	Niet gefinisht
1903	E1	Léon Riche (FRA)	Niet gefinisht
1903	E1	Jules Sales (BEL)	Niet gefinisht
1903	E1	Emile Torisani (FRA)	Niet gefinisht
1903	E1	Paul Trippier (FRA)	Niet gefinisht
1903	E1	Edouard Wattelier (FRA)	Niet gefinisht
1903	E1	Eugène Jay (FRA)	Niet gefinisht
1903	E1	Victor Lefèvre (FRA)	Niet gefinisht
1903	E1	Quetier (FRA)	Niet gefinisht
1903	E1	Jean-Baptiste Zimmermann (FRA)	Niet gefinisht
1904	E1	Charles Laeser (SUI)	Niet gefinisht
1904	E1	Emile Lamboeuf (FRA)	Niet gefinisht
1904	E1	Lamouline (FRA)	Niet gefinisht
1904	E1	Auguste Laprée (FRA)	Niet gefinisht

1904	E1	Maurice Lartique (FRA)	Niet gefinisht
1904	E1	Louis Lecuona (FRA)	Niet gefinisht
1904	E1	Legaux (BEL)	Niet gefinisht
1904	E1	Lipman (FRA)	Niet gefinisht
1904	E1	Marcastel (FRA)	Niet gefinisht
1904	E1	Emile Moulin (FRA)	Niet gefinisht
1904	E1	Georges Nemo (BEL)	Niet gefinisht
1904	E1	Eugène Prévost (FRA)	Niet gefinisht
1904	E1	Reidenbach (FRA)	Niet gefinisht
1904	E1	Giovanni Rossignoli (ITA)	Niet gefinisht
1904	E1	Jules Sales (BEL)	Niet gefinisht
1904	E1	Sylvain (FRA)	Niet gefinisht
1904	E1	L. Treuvelot (FRA)	Niet gefinisht
1904	E1	Victor Devèze (FRA)	Niet gefinisht
1904	E1	Monin (FRA)	Niet gefinisht
1904	E1	Ferdinand Payan (FRA)	Gediskwalificeerd
1904	E1	Lucien Pothier (FRA)	Gediskwalificeerd
1904	E1	Noël Prévost (FRA)	Gediskwalificeerd
1904	E1	Julien Lootens (BEL)	Gediskwalificeerd
1904	E1	Hippolyte Aucouturier (FRA)	Gediskwalificeerd
1904	E1	Chaput (FRA)	Gediskwalificeerd
1904	E1	Pierre Chevalier (FRA)	Gediskwalificeerd
1904	E1	César Garin (FRA)	Gediskwalificeerd
1904	E1	Maurice Garin (FRA)	Gediskwalificeerd
1904	E1	Philippe Jousselin (FRA)	Gediskwalificeerd
1904	E1	Joseph Achten (BEL)	Niet gefinisht
1904	E1	Adrien Blanqui (FRA)	Niet gefinisht
1904	E1	Felix Boyer (FRA)	Niet gefinisht
1904	E1	Henri Boyer (FRA)	Niet gefinisht
1904	E1	Eugène Branche (FRA)	Niet gefinisht

1904	E1	Charles Delmilhac (FRA)	Niet gefinisht
1904	E1	Henri Dome (BEL)	Niet gefinisht
1904	E1	Octave Doury (FRA)	Niet gefinisht
1904	E1	P. Dufraix (FRA)	Niet gefinisht
1904	E1	Georges Fleury (FRA)	Niet gefinisht
1904	E1	Léon Habets (FRA)	Niet gefinisht
1904	E1	P. Hibon (FRA)	Niet gefinisht
1904	E1	Jean-Baptiste Jacquet (FRA)	Niet gefinisht
1904	E1	Dieudonné Jamar (BEL)	Niet gefinisht
1905	E1	Abel Bernard (FRA)	Niet gefinisht
1905	E1	Jean Dargassies (FRA)	Niet gefinisht
1905	E1	Henri Gauban (FRA)	Niet gefinisht
1905	E1	Edouard Grandsire (FRA)	Niet gefinisht
1905	E1	Louis Lavalette (FRA)	Niet gefinisht
1905	E1	J. Mechin (FRA)	Niet gefinisht
1905	E1	Marcel Morvan (FRA)	Niet gefinisht
1905	E1	Antoine Perrichon (FRA)	Niet gefinisht
1905	E1	Charles Prévost (FRA)	Niet gefinisht
1905	E1	Noël Prévost (FRA)	Niet gefinisht
1905	E1	Léon Riche (FRA)	Niet gefinisht
1905	E1	Jean Ruffin (FRA)	Niet gefinisht
1905	E1	Paul Trippier (FRA)	Niet gefinisht
1905	E1	Henri Vigne (FRA)	Niet gefinisht
1905	E1	Edouard Wattelier (FRA)	Niet gefinisht
1906	E1	Ludwig Barthelmann (DUI)	Niet gefinisht
1906	E1	Alfred Belleville (FRA)	Niet gefinisht
1906	E1	Jules Chabas (FRA)	Niet gefinisht
1906	E1	Edouard Chaumard (FRA)	Niet gefinisht
1906	E1	Communal (FRA)	Niet gefinisht
1906	E1	Pierre Desvages (FRA)	Niet gefinisht

1906	E1	Georges Devilly (FRA)	Niet gefinisht
1906	E1	Robert Dubois (FRA)	Niet gefinisht
1906	E1	Eugène Duffis (FRA)	Niet gefinisht
1906	E1	Jean Giran (FRA)	Niet gefinisht
1906	E1	Albert Godefroy (FRA)	Niet gefinisht
1906	E1	Gonjeaud (FRA)	Niet gefinisht
1906	E1	Charles Habert (FRA)	Niet gefinisht
1906	E1	Emile Haemmerlin (FRA)	Niet gefinisht
1906	E1	François Lafourcade (FRA)	Niet gefinisht
1906	E1	Fernand Lallement (FRA)	Niet gefinisht
1906	E1	Henri Marchand (FRA)	Niet gefinisht
1906	E1	Henri Menez (FRA)	Niet gefinisht
1906	E1	Firmin Pauloin (FRA)	Niet gefinisht
1906	E1	Alfred Pocarius (FRA)	Niet gefinisht
1906	E1	Prosper Rau (FRA)	Niet gefinisht
1906	E1	Frédéric Saillot (FRA)	Niet gefinisht
1906	E1	Henri Star (FRA)	Niet gefinisht
1906	E1	Paul Trippier (FRA)	Niet gefinisht
1906	E1	Arsène Tual (FRA)	Niet gefinisht
1906	E1	Vernimmen (FRA)	Niet gefinisht
1906	E1	Heinz Scholl (DUI)	Niet gefinisht
1906	E1	Charles Perraud (FRA)	Niet gefinisht
1906	E1	Emile Bertrand (FRA)	Niet gefinisht
1907	E1	Paul Ader (FRA)	Niet gefinisht
1907	E1	Ernest Bertholat (FRA)	Niet gefinisht
1907	E1	Raymond Etcheverry (FRA)	Niet gefinisht
1907	E1	Georges Jeanblanc (FRA)	Niet gefinisht
1907	E1	Noël Prévost (FRA)	Niet gefinisht
1907	E1	Arsène Tual (FRA)	Niet gefinisht
1907	E1	Edouard Wattelier (FRA)	Niet gefinisht

1908	E1	Firmin Court (FRA)	Niet gefinisht
1908	E1	Gaston Dagorneau (FRA)	Niet gefinisht
1908	E1	Edmond Masson (FRA)	Niet gefinisht
1908	E1	René Salais (FRA)	Niet gefinisht
1908	E1	Henri Severin (FRA)	Niet gefinisht
1909	E1	Marcel Hugot (FRA)	Niet gefinisht
1909	E1	Antoine Jaeck (ZWI)	Niet gefinisht
1909	E1	Gabriel Magnant (FRA)	Niet gefinisht
1909	E1	Jean Mézière (FRA)	Niet gefinisht
1909	E1	Emile Moulin (FRA)	Niet gefinisht
1909	E1	Georges Nemo (BEL)	Niet gefinisht
1909	E1	Frédéric Rigaux (FRA)	Niet gefinisht
1909	E1	Edouard Wattelier (FRA)	Niet gefinisht
1910	E1	Vicente Blanco (SPA)	Niet gefinisht
1910	E1	Louis Bonino (FRA)	Niet gefinisht
1910	E1	Georges Cadolle (FRA)	Niet gefinisht
1910	E1	Pierre Delplace (FRA)	Niet gefinisht
1910	E1	Pierre le Floch (FRA)	Niet gefinisht
1910	E1	Albert Guillot (FRA)	Niet gefinisht
1910	E1	Robert Jeannet (FRA)	Niet gefinisht
1910	E1	André Kuhn (FRA)	Niet gefinisht
1910	E1	Eugène Merville (FRA)	Niet gefinisht
1910	E1	Raymond Didier (FRA)	Niet gefinisht
1911	E1	Henri Anthoine (FRA)	Niet gefinisht
1911	E1	Victor Cathera (FRA)	Niet gefinisht
1911	E1	Pierre Dané (FRA)	Niet gefinisht
1911	E1	Pierino Fiore (ITA)	Niet gefinisht
1911	E1	André Kuhn (FRA)	Niet gefinisht
1911	E1	Maurice Leturgie (FRA)	Niet gefinisht
1911	E1	Adrien Melaye (FRA)	Niet gefinisht

1911	E1	Eugène Merville (FRA)	Niet gefinisht
1911	E1	Eugène Moura (FRA)	Niet gefinisht
1911	E1	Georges Nemo (BEL)	Niet gefinisht
1911	E1	Lucien Petit-Breton (FRA)	Niet gefinisht
1911	E1	Louis Poyet (FRA)	Niet gefinisht
1911	E1	Léon Riche (FRA)	Niet gefinisht
1911	E1	Alcide Rivière (FRA)	Niet gefinisht
1912	E1	Paul Coppens (FRA)	Niet gefinisht
1912	E1	Lucien Cornu (FRA)	Niet gefinisht
1912	E1	Moïse Fugère (FRA)	Niet gefinisht
1912	E1	Francis Gandel (FRA)	Niet gefinisht
1913	E1	Philippe Alary (FRA)	Niet gefinisht
1913	E1	Marcel Allain (FRA)	Niet gefinisht
1913	E1	Alain Andrin (FRA)	Niet gefinisht
1913	E1	René Barret (FRA)	Niet gefinisht
1913	E1	André Battili (FRA)	Niet gefinisht
1913	E1	Ernest Berthet (FRA)	Niet gefinisht
1913	E1	François Bertrand (FRA)	Niet gefinisht
1913	E1	Léon Bonnery (FRA)	Niet gefinisht
1913	E1	Emile Bouhours (FRA)	Niet gefinisht
1913	E1	Albert Cartigny (FRA)	Niet gefinisht
1913	E1	Albert Chiarena (FRA)	Niet gefinisht
1913	E1	Lucien Cornu (FRA)	Niet gefinisht
1913	E1	Louis Ferrault (FRA)	Niet gefinisht
1913	E1	Michel Franc (FRA)	Niet gefinisht
1913	E1	Luigi Gorret (FRA)	Niet gefinisht
1913	E1	François Lallement (FRA)	Niet gefinisht
1913	E1	Henri Leclerc (FRA)	Niet gefinisht
1913	E1	Eugène Leroy (FRA)	Niet gefinisht
1913	E1	Louis Molière (FRA)	Niet gefinisht

1913	E1	Henri Murat (FRA)	Niet gefinisht
1913	E1	Alfred Niklaus (FRA)	Niet gefinisht
1913	E1	Eugène Platteau (BEL)	Niet gefinisht
1913	E1	Laurent Quemeneur (FRA)	Niet gefinisht
1913	E1	Yves Quideau (FRA)	Niet gefinisht
1913	E1	Maurice Rossi (FRA)	Niet gefinisht
1913	E1	Henri Severin (FRA)	Niet gefinisht
1913	E1	Joseph Verdickt (BEL)	Niet gefinisht
1913	E1	Antoine Wattelier (FRA)	Niet gefinisht
1913	E1	Charles Privas (FRA)	Niet gefinisht
1914	E1	Giovanni Casetta (ITA)	Niet gefinisht
1914	E1	André Cottard (FRA)	Niet gefinisht
1914	E1	Charles Desmet (BEL)	Niet gefinisht
1914	E1	Vincent d' Hulst (FRA)	Niet gefinisht
1914	E1	Victor Doms (BEL)	Niet gefinisht
1914	E1	Louis Ferrault (FRA)	Niet gefinisht
1914	E1	François Flandin (FRA)	Niet gefinisht
1914	E1	Hilleret (FRA)	Niet gefinisht
1914	E1	Maurice Leliaert (BEL)	Niet gefinisht
1914	E1	Georges Lips (FRA)	Niet gefinisht
1914	E1	Camille Van Marcke (BEL)	Niet gefinisht
1914	E1	Marc Mesnard (FRA)	Niet gefinisht
1914	E1	Lucien Meunier (FRA)	Niet gefinisht
1914	E1	Giovanni Micheletto (ITA)	Niet gefinisht
1914	E1	Georges Nemo (BEL)	Niet gefinisht
1914	E1	Paul Noterman (FRA)	Niet gefinisht
1914	E1	Henri Pépin (FRA)	Niet gefinisht
1914	E1	Auguste Pierron (FRA)	Niet gefinisht
1914	E1	Félix Pregnac (FRA)	Niet gefinisht
1914	E1	Yves Quideau (FRA)	Niet gefinisht

1914	E1	Henri Tavernier (FRA)	Niet gefinisht
1914	E1	Louis Valckenaerts (BEL)	Niet gefinisht
1914	E1	Henri Viatoux (FRA)	Niet gefinisht
1914	E1	Pierre Stabat (FRA)	Niet gefinisht
1914	E1	Louis Grosset (FRA)	Niet gefinisht
1919	E1	Henri Allard (BEL)	Niet gefinisht
1919	E1	Robert Assé (FRA)	Niet gefinisht
1919	E1	Maurice Bissière (FRA)	Niet gefinisht
1919	E1	Maurice Borel (FRA)	Niet gefinisht
1919	E1	Alfred Brailly (FRA)	Niet gefinisht
1919	E1	François Chevalier (FRA)	Niet gefinisht
1919	E1	Emile Denys (FRA)	Niet gefinisht
1919	E1	Jean Deyries (FRA)	Niet gefinisht
1919	E1	Pietro Fasoli (ITA)	Niet gefinisht
1919	E1	René Gerwig (FRA)	Niet gefinisht
1919	E1	Ernest Gery (FRA)	Niet gefinisht
1919	E1	Charles Hans (FRA)	Niet gefinisht
1919	E1	Hector Heusghem (BEL)	Niet gefinisht
1919	E1	Albert Heux (FRA)	Niet gefinisht
1919	E1	Léon Kopp (BEL)	Niet gefinisht
1919	E1	Emile Ledran (FRA)	Niet gefinisht
1919	E1	Camille Van Marcke (BEL)	Niet gefinisht
1919	E1	Basile Matthijs (BEL)	Niet gefinisht
1919	E1	Henri Moreillon (FRA)	Niet gefinisht
1919	E1	Etienne Nain (FRA)	Niet gefinisht
1919	E1	José Orduna (SPA)	Niet gefinisht
1919	E1	André Renard (FRA)	Niet gefinisht
1919	E1	Alfons Spiessens (BEL)	Niet gefinisht
1919	E1	Paul Thondoux (FRA)	Niet gefinisht
1919	E1	Philippe Thys (BEL)	Niet gefinisht

1919	E1	Gaston van Waesberghe (BEL)	Niet gefinisht
1920	E1	Bertrand Alignon (FRA)	Niet gefinisht
1920	E1	Gaetano Belloni (ITA)	Niet gefinisht
1920	E1	Marcel Benel (FRA)	Niet gefinisht
1920	E1	Gaston Bohin (FRA)	Niet gefinisht
1920	E1	Ahmed Brazzi (FRA)	Niet gefinisht
1920	E1	Maurice van Cayzeele (BEL)	Niet gefinisht
1920	E1	Paul Chevalier (FRA)	Niet gefinisht
1920	E1	Eugène Collin (FRA)	Niet gefinisht
1920	E1	Georges Dubuse (FRA)	Niet gefinisht
1920	E1	Arthur Godart (BEL)	Niet gefinisht
1920	E1	Angelo Gremo (ITA)	Niet gefinisht
1920	E1	Jules Loisel (FRA)	Niet gefinisht
1920	E1	Alfred Mottard (BEL)	Niet gefinisht
1920	E1	Jules Nempon (FRA)	Niet gefinisht
1920	E1	Edmond Painault (FRA)	Niet gefinisht
1920	E1	Frans Vanuytsel (BEL)	Niet gefinisht
1921	E1	Lucien Abbé (FRA)	Niet gefinisht
1921	E1	Marius Aubry (FRA)	Niet gefinisht
1921	E1	Léon Bonnery (FRA)	Niet gefinisht
1921	E1	Michele Brega (ITA)	Niet gefinisht
1921	E1	Emile Brelloch (FRA)	Niet gefinisht
1921	E1	Louis Budts (BEL)	Niet gefinisht
1921	E1	Pietro Casati (ITA)	Niet gefinisht
1921	E1	Arthur Claerhout (BEL)	Niet gefinisht
1921	E1	Daniel Dagrau (FRA)	Niet gefinisht
1921	E1	Emile Dorvillers (FRA)	Niet gefinisht
1921	E1	Camille Dulac (FRA)	Niet gefinisht
1921	E1	Emile Masson Sr. (BEL)	Niet gefinisht
1921	E1	Jules Nempon (FRA)	Niet gefinisht

1921	E1	Eugène Poncelin (FRA)	Niet gefinisht
1921	E1	Jacques van Rompay (BEL)	Niet gefinisht
1921	E1	Alexis Rosset (FRA)	Niet gefinisht
1921	E1	Armand Thewis (BEL)	Niet gefinisht
1921	E1	Edouard Tibal (FRA)	Niet gefinisht
1921	E1	Nicolas Urmé (FRA)	Niet gefinisht
1921	E1	Jean Riou (FRA)	Niet gefinisht
1922	E1	Lucien Abbé (FRA)	Niet gefinisht
1922	E1	Robert Beaulieu (FRA)	Niet gefinisht
1922	E1	Auguste Berthault (FRA)	Niet gefinisht
1922	E1	Silvio Borsetti (ITA)	Niet gefinisht
1922	E1	Jacques Carette (FRA)	Niet gefinisht
1922	E1	Maurice Charrère (FRA)	Niet gefinisht
1922	E1	Fernand Combes (FRA)	Niet gefinisht
1922	E1	Angelo Erba (ITA)	Niet gefinisht
1922	E1	Henri Jacob (FRA)	Niet gefinisht
1922	E1	Henri Dejaegher (BEL)	Niet gefinisht
1922	E1	Lucien Lagouche (FRA)	Niet gefinisht
1922	E1	Georges Nemo (BEL)	Niet gefinisht
1922	E1	Julien Noth (FRA)	Niet gefinisht
1922	E1	Léon Poncelet (FRA)	Niet gefinisht
1922	E1	Joseph Rayen (FRA)	Niet gefinisht
1922	E1	Albert Rousselle (FRA)	Niet gefinisht
1922	E1	Luigi Vertemati (ITA)	Niet gefinisht
1922	E1	Henri Yvon (FRA)	Niet gefinisht
1923	E1	André Andresse (FRA)	Niet gefinisht
1923	E1	Emile Bonnefoie (FRA)	Niet gefinisht
1923	E1	Silvio Borsetti (ITA)	Niet gefinisht
1923	E1	Charles Budts (BEL)	Niet gefinisht
1923	E1	Pietro Fasoli (ITA)	Niet gefinisht

1923	E1	Pierre Gilbert (FRA)	Niet gefinisht
1923	E1	Jean Hautot (FRA)	Niet gefinisht
1923	E1	Louis Marty (FRA)	Niet gefinisht
1923	E1	Camille Nicou (FRA)	Niet gefinisht
1923	E1	Henri Timmerman (BEL)	Niet gefinisht
1924	E1	Jules Banino (FRA)	Niet gefinisht
1924	E1	Alexandre Bontoux (FRA)	Niet gefinisht
1924	E1	François Brient (FRA)	Niet gefinisht
1924	E1	Emile Dalifard (FRA)	Niet gefinisht
1924	E1	Gérard Debaets (BEL)	Niet gefinisht
1924	E1	Joseph Douard (FRA)	Niet gefinisht
1924	E1	Pierre Everaerts (BEL)	Niet gefinisht
1924	E1	Alfons Van Hecke (BEL)	Niet gefinisht
1924	E1	Marceau Lardenois (FRA)	Niet gefinisht
1924	E1	Camille Leroy (BEL)	Niet gefinisht
1924	E1	Joseph Normand (FRA)	Niet gefinisht
1924	E1	Joseph Pé (BEL)	Niet gefinisht
1924	E1	Léon Robelin (FRA)	Niet gefinisht
1924	E1	Marcel Robin (FRA)	Niet gefinisht
1924	E1	Luigi Brambilla (ITA)	Niet gefinisht
1924	E1	Ernest Langlais (FRA)	Niet gefinisht
1924	E1	Pietro Pistone (ITA)	Niet gefinisht
1924	E1	Guido Oddone (ITA)	Niet gefinisht
1925	E1	Léon Avrillaud (FRA)	Niet gefinisht
1925	E1	Richard Benasseni (FRA)	Niet gefinisht
1925	E1	Theo Bertholet (ZWI)	Niet gefinisht
1925	E1	Henri Collé (ZWI)	Niet gefinisht
1925	E1	Gaston Coriol (FRA)	Niet gefinisht
1925	E1	Emile Costard (FRA)	Niet gefinisht
1925	E1	Alphonse van Daele (FRA)	Niet gefinisht

1925	E1	Marcel Guignebourg (FRA)	Niet gefinisht
1925	E1	Julien Lamby (FRA)	Niet gefinisht
1925	E1	Louis Lemitère (FRA)	Niet gefinisht
1925	E1	Victor Leroy (BEL)	Niet gefinisht
1925	E1	Georges Lethor (FRA)	Niet gefinisht
1925	E1	Francesco Liverani (ITA)	Niet gefinisht
1925	E1	Daniel Masson (FRA)	Niet gefinisht
1925	E1	Marcel Perrière (ZWI)	Niet gefinisht
1925	E1	Joseph Rayen (FRA)	Niet gefinisht
1925	E1	Alfred Steux (BEL)	Niet gefinisht
1925	E1	Desiderio Vinuessa (FRA)	Niet gefinisht
1925	E1	Jean Majerus (LUX)	Niet gefinisht
1926	E1	Robert Assé (FRA)	Niet gefinisht
1926	E1	Henri Bernaert (FRA)	Niet gefinisht
1926	E1	Germain Bézille (FRA)	Niet gefinisht
1926	E1	Emile Brichard (BEL)	Niet gefinisht
1926	E1	François Brient (FRA)	Niet gefinisht
1926	E1	Pierre Bristo (FRA)	Niet gefinisht
1926	E1	Eugène Chiaberge (FRA)	Niet gefinisht
1926	E1	Gaston Coriol (FRA)	Niet gefinisht
1926	E1	Henri Faivre (FRA)	Niet gefinisht
1926	E1	Paul Filliat (FRA)	Niet gefinisht
1926	E1	Ernest Gillioni (FRA)	Niet gefinisht
1926	E1	Maurice Guénot (FRA)	Niet gefinisht
1926	E1	Kisso Kawamuro (JAP)	Niet gefinisht
1926	E1	Battista Recrosio (ITA)	Niet gefinisht
1926	E1	Jean-Roger Schwenter (FRA)	Niet gefinisht
1927	E1	Louis Andrey (FRA)	Niet gefinisht
1927	E1	Robert Assé (FRA)	Niet gefinisht
1927	E1	Richard Benasseni (FRA)	Niet gefinisht

1927	E1	Camille Bière (FRA)	Niet gefinisht
1927	E1	Maurice Coindeau (FRA)	Niet gefinisht
1927	E1	Ugo Colmaghi (FRA)	Niet gefinisht
1927	E1	Paul le Drogo (FRA)	Niet gefinisht
1927	E1	Emile Druz (FRA)	Niet gefinisht
1927	E1	Paul Duboc (FRA)	Niet gefinisht
1927	E1	Auguste Dufour (FRA)	Niet gefinisht
1927	E1	André Dupont (FRA)	Niet gefinisht
1927	E1	Harry Fossing (LUX)	Niet gefinisht
1927	E1	Battista Ghiano (FRA)	Niet gefinisht
1927	E1	Francisco de Gios (FRA)	Niet gefinisht
1927	E1	Valentin Izabal (FRA)	Niet gefinisht
1927	E1	Léon Jacacier (FRA)	Niet gefinisht
1927	E1	Kisso Kawamuro (JAP)	Niet gefinisht
1927	E1	Henri Lintzen (BEL)	Niet gefinisht
1927	E1	Lorenzo Fortuno (FRA)	Niet gefinisht
1927	E1	Alfred Louchet (FRA)	Niet gefinisht
1927	E1	Jean Marius (FRA)	Niet gefinisht
1927	E1	Paul Millet (FRA)	Niet gefinisht
1927	E1	Baptiste Mousset (FRA)	Niet gefinisht
1927	E1	Victor Pellier (FRA)	Niet gefinisht
1927	E1	André Péton (FRA)	Niet gefinisht
1927	E1	Joseph Pusterla (FRA)	Niet gefinisht
1927	E1	Camille Rolion (FRA)	Niet gefinisht
1927	E1	Maurice Rouvier (FRA)	Niet gefinisht
1927	E1	Jean-Roger Schwenter (FRA)	Niet gefinisht
1927	E1	Luigi Simioni (ITA)	Niet gefinisht
1927	E1	Odile Taillieu (BEL)	Niet gefinisht
1927	E1	Jean-Paul Thilgès (FRA)	Niet gefinisht
1927	E1	Théodore Vignes (FRA)	Niet gefinisht

1927	E1	Georges Berton (FRA)	Niet gefinisht
1927	E1	Louis Gauthier (FRA)	Niet gefinisht
1928	E1	Robert Assé (FRA)	Niet gefinisht
1928	E1	Louis Beaulieu (FRA)	Niet gefinisht
1928	E1	Alexandre Bontoux (FRA)	Niet gefinisht
1928	E1	Palmire Cassonne (FRA)	Niet gefinisht
1928	E1	Giosué Cattarossi (FRA)	Niet gefinisht
1928	E1	Clovis Cros (FRA)	Niet gefinisht
1928	E1	Jules Deloffre (FRA)	Niet gefinisht
1928	E1	Henri Drapel (FRA)	Niet gefinisht
1928	E1	Jean Guizier (FRA)	Niet gefinisht
1928	E1	Eugène Hermann (FRA)	Niet gefinisht
1928	E1	Henri Lefèvre (FRA)	Niet gefinisht
1928	E1	Fernand Lemesle (FRA)	Niet gefinisht
1928	E1	Baptiste Mousset (FRA)	Niet gefinisht
1928	E1	Bernardo Pesce (SPA)	Niet gefinisht
1928	E1	Joseph Pusterla (FRA)	Niet gefinisht
1928	E1	Jean Stellati (FRA)	Niet gefinisht
1928	E1	Jean-Paul Thilgès (FRA)	Niet gefinisht
1928	E1	Angelo Tintori (FRA)	Niet gefinisht
1928	E1	Louis Veau (FRA)	Niet gefinisht
1928	E1	Siméon Vergnol (FRA)	Niet gefinisht
1928	E1	Battista Bertello (ITA)	Niet gefinisht
1929	E1	Robert Assé (FRA)	Niet gefinisht
1929	E1	Jean Benot (FRA)	Niet gefinisht
1929	E1	Fernand Binet (FRA)	Niet gefinisht
1929	E1	Clovis Cros (FRA)	Niet gefinisht
1929	E1	Léon Delmulle (FRA)	Niet gefinisht
1929	E1	Fernand Depraetère (FRA)	Niet gefinisht
1929	E1	Georges Dever (FRA)	Niet gefinisht

1929	E1	Charles Garin (FRA)	Niet gefinisht
1929	E1	Léon Joudelat (FRA)	Niet gefinisht
1929	E1	Edouard Levier (FRA)	Niet gefinisht
1929	E1	Guido Magnani (FRA)	Niet gefinisht
1929	E1	Edouard Marlot (FRA)	Niet gefinisht
1929	E1	Constant Mériel (FRA)	Niet gefinisht
1929	E1	Cipriano Monteca (SPA)	Niet gefinisht
1929	E1	Jean Nirascou (FRA)	Niet gefinisht
1929	E1	Victor Pellier (FRA)	Niet gefinisht
1929	E1	Joseph Pusterla (FRA)	Niet gefinisht
1929	E1	Jean-Paul Thilgès (FRA)	Niet gefinisht
1929	E1	Mario Vendruscolo (FRA)	Niet gefinisht
1929	E1	François Vidon (FRA)	Niet gefinisht
1929	E1	Jean Garcia (FRA)	Niet gefinisht
1930	E1	Raymond Lalès (FRA)	Niet gefinisht
1932	E1	Alessandro Catalani (ITA)	Niet gefinisht
1932	E1	Ernst Hofer (ZWI)	Niet gefinisht
1933	E1	Edmond Bérenger (FRA)	Niet gefinisht
1933	E1	Francisco Cepeda (SPA)	Niet gefinisht
1933	E1	Eugenio Gestri (ITA)	Niet gefinisht
1933	E1	Jean-Baptiste Intcegaray (FRA)	Niet gefinisht
1933	E1	Emile Joly (BEL)	Niet gefinisht
1933	E1	Herbert Sieronski (DUI)	Niet gefinisht
1933	E1	Roger Strebel (ZWI)	Niet gefinisht
1933	E1	Amulio Viarengo (ITA)	Niet gefinisht
1934	E1	Kurt Nietzschke (ZWI)	Niet gefinisht
1934	E1	Gaspard Rinaldi (FRA)	Niet gefinisht
1935	E1	Alfred Bula (ZWI)	Niet gefinisht
1935	E1	Arthur Debruyckere (FRA)	Niet gefinisht
1935	E1	Cipriano Elys (SPA)	Niet gefinisht

1937	E1	Pierre Gachon (CAN)	Niet gefinisht
1938	E1	Charles Bouvet (FRA)	Niet gefinisht
1938	E1	Antonio Prior (FRA)	Niet gefinisht
1939	E1	André Bramard (FRA)	Niet gestart
1947	E1	Louis Thiétard (FRA)	Niet gefinisht
1948	E1	Mario Fazio (ITA)	Niet gefinisht
1948	E1	Virgilio Salimbeni (ITA)	Niet gefinisht
1948	E1	Abdel-Kader Zaaf (ALG)	Niet gefinisht
1949	E1	Bernardo Capo (SPA)	Niet gefinisht
1949	E1	Willy Kemp (LUX)	Niet gefinisht
1952	E1	Moustafa Chareuf (ALG)	Niet gefinisht
1953	E1	Emilio Croci-Torti (ZWI)	Niet gefinisht
1953	E1	Jean Dotto (FRA)	Niet gefinisht
1956	E1	Lucien Fliffel (FRA)	Niet gefinisht
1956	E1	Henri Sitek (FRA)	Niet gefinisht
1957	E1	Pierre Barbotin (FRA)	Buiten de tijd
1957	E1	Claude le Ber (FRA)	Buiten de tijd
1957	E1	Marcel Carfentan (FRA)	Buiten de tijd
1958	E1	Fritz Ravn (DEN)	Buiten de tijd
1958	E1	Julio San Emeterio (SPA)	Buiten de tijd
1962	E1	Luigi Mele (ITA)	Niet gefinisht
1962	E1	Attilio Moresi (ZWI)	Niet gefinisht
1962	E1	Graziano Battistini (ITA)	Niet gestart
1964	E1	Pietro Scandelli (ITA)	Niet gefinisht
1966	E1	Guerrando Lenzi (ITA)	Buiten de tijd
1985	P	Fons De Wolf (BEL)	Buiten de tijd
1995	P	Chris Boardman (GBR)	Niet gefinisht
2002	P	Levi Leipheimer (VS)	Gediskwalificeerd
2003	P	Levi Leipheimer (VS)	Gediskwalificeerd
2004	P	George Hincapie (VS)	Gediskwalificeerd

2004	P	Levi Leipheimer (VS)	Gediskwalificeerd
2004	P	Christian Vande Velde (VS)	Gediskwalificeerd
2005	E1	George Hincapie (VS)	Gediskwalificeerd
2005	E1	Jan Ullrich (DUI)	Gediskwalificeerd
2005	E1	Levi Leipheimer (VS)	Gediskwalificeerd
2005	E1	David Zabriskie (VS)	Gediskwalificeerd
2006	P	George Hincapie (VS)	Gediskwalificeerd
2006	P	Levi Leipheimer (VS)	Gediskwalificeerd
2006	P	David Zabriskie (VS)	Gediskwalificeerd
2007	P	Levi Leipheimer (VS)	Gediskwalificeerd
2008	E1	Hervé Duclos-Lassalle (FRA)	Niet gefinisht
2008	E1	Leonardo Piepoli (ITA)	Gediskwalificeerd
2008	E1	Manuel Beltrán (SPA)	Gediskwalificeerd
2008	E1	Bernhard Kohl (OOS)	Gediskwalificeerd
2008	E1	Stefan Schumacher (DUI)	Gediskwalificeerd
2008	E1	Riccardo Riccò (ITA)	Gediskwalificeerd
2009	E1	Franco Pellizotti (ITA)	Gediskwalificeerd
2009	E1	Mikel Astarloza (SPA)	Gediskwalificeerd
2010	P	Alberto Contador (SPA)	Gediskwalificeerd
2011	E1	Alberto Contador (SPA)	Gediskwalificeerd

HET DEBUUT
VAN EEN LAND IN DE
TOUR DE FRANCE

In 1936 waren Albert Gijsen, Theo Middelkamp en de broers Albert van Schendel en Antoon van Schendel de eerste Nederlanders ooit in de Tour de France. Theo Middelkamp won in deze Tour de zevende etappe, Albert van Schendel was met een vijftiende plek de beste Nederlander in het algemeen klassement en Albert Gijsen moest voortijdig de strijd staken.

Jaar	Land
1903	België, Frankrijk, Duitsland, Italië, Zwitserland
1906	Luxemburg
1910	Spanje
1913	Denemarken, Tunesië
1914	Australië
1926	Japan
1928	Nieuw-Zeeland
1929	Tjechoslowakije
1931	Oostenrijk
1936	Algerije, **Nederland,** Roemenië, Joegoslavië
1937	Canada, Groot-Brittannië
1947	Polen
1954	Liechtenstein
1955	West-Duitsland
1956	Ierland, Portugal
1960	Zweden
1975	Colombia, Noorwegen
1981	Verenigde Staten
1986	Brazilië, Mexico
1990	Oost-Duitsland, Sovjet-Unie
1992	Litouwen, Rusland, Oezbekistan
1993	Estland, Kazachstan, Slowakije, Oekraïne, Venezuela
1994	Letland, Moldavië
1995	Tsjechië
1997	Finland
2000	Slovenië
2001	Zuid-Afrika
2002	Hongarije
2003	Kroatië
2007	Wit-Rusland
2011	Costa Rica
2012	Argentinië

1936

Niet lucratief genoeg voor Kees Pellenaars

Nederland stuurde dit jaar voor het eerst een ploeg naar de Tour de France. Theo Middelkamp, de gebroeders Albert en Antoon van Schendel en Albert Gijsen schreven geschiedenis. Achteraf had Kees Pellenaars dat ook wel gewild. Maar in juni 1936 speelde hij een spel om toch maar vooral onder deelname aan de Tour uit te kunnen komen. De Brabander, opgegroeid in armoede, fietste voor de poen. In de Ronde van Ossendrecht kreeg Pellenaars, zo meldde de Volkskrant van 29 juni 1936 'een inzinking die hij sedertdien nog niet te boven is kunnen komen.' Pellenaars erkende later er een simpel rekensommetje op los gelaten te hebben. Drie weken Frankrijk leken hem onmogelijk net zoveel op te kunnen leveren als het rijden van hoog gedoteerde baanwedstrijden. Pellenaars zou later als renner nooit meer in aanmerking komen voor de Tour. In 1950 kwam een einde aan zijn loopbaan als coureur. Een Amerikaan die na de oorlog in Europa was gebleven en boven de wet dacht te leven, had zich in Freiburg – tegen de aanwijzingen van de politie in – toch op het parcours begeven. Pellenaars reed zich in een afdaling met een gangetje van tachtig kilometer per uur, naar eigen zeggen, 'te barsten tegen die auto. Mijn rennersshirt hield me nog bij elkaar.' Diverse Belgische kranten publiceerden al een necrologie, maar D'n Pel kwam er bovenop. En maakte een jaar later alsnog zijn debuut in de Tour de France. Als ploeg-

Kees Pellenaars

leider. De hele Tourploeg viel dat jaar weliswaar uit, de formatie maakte onder leiding van Pellenaars wel naam. Wim van Est won de etappe naar Dax en stortte de volgende dag, met het allereerste Nederlandse geel om de schouders, in een ravijn. Het was Pellenaars direct duidelijk dat met dit leed geld te verdienen viel, toen Pontiac aangaf reclame te willen maken met het nog voorttikkende klokje dat Van Est bij zijn val droeg. Pellenaars had de smaak vervolgens te pakken. Ploegen onder zijn leiding boekten menige ritwinst. In 1953 werd zelfs het prestigieuze landenklassement gewonnen. En ook met de sponsorploegen TeleVizier en Goudsmitt Hoff-ploeg had Pellenaars, die in 1958 door de wielerbond KNWU opzij was geschoven vanwege geruzie over geld, nadien nog succes.

Dat Pellenaars bedreven was in het opjutten van zijn renners, droeg bij aan de sportieve hausse. En aan zijn eigen financiële huishouding. 'We offerden alles voor elkaar op', aldus Wout Wagtmans. 'En altijd met hetzelfde doel: zoveel mogelijk verdienen.'

Volgens Gerrit Voorting verdween er echter een onevenredig deel van de verdiensten in de zak van de teammanager. 'Pellenaars was zo slecht als een elastiek van vijf centen.' De ploegbaas gaf je de indruk met jou de beste deal te sluiten. Van Est: 'Je moest dan, alleen, bij Pellenaars komen. En die zei dan: "Je krijgt zoveel meer dan die andere mannen, maar hou je smoel dicht". Dat zei hij vervolgens tegen iedereen.' Volgens Voorting maakte Pellenaars mede misbruik van de situatie omdat de renners het lieten gebeuren. 'We konden het nooit eens worden.'

Henk Lubberding wint in 1980, met rugnummer 13, de etappe van Metz naar Luik.

1938

Rugnummer 13

Als hij nog zou leven, zou hij in lachen uitbarsten. Gino Bartali was te groots, te goed, te stoer om zich in de luren te laten leggen door een rugnummer. Kom op zeg, 13, dat was maar een getal, een nummer dat hem het recht gaf mee te doen aan de zwaarste wielerkoers ter wereld. Goed, in 1937 was het allemaal wat anders gelopen dan hij en de rijen tifosi hadden gedacht. Net aan de macht gekomen dankzij een knappe ritzege in de zevende etappe van Aix-les-Bains naar Grenoble, ging de Italiaan zijn trieste ondergang tegemoet. Op weg naar Briançon, net na Embrun over een kronkelig valleipad, lette ploegmakker Giulio Rossi even niet op. Om erger te voorkomen remde hij wat bruusk, schoof met zijn achterwiel weg en knalde op de borstwering van een brug over de rivier. Bartali was nog bij machte hem te ontwijken, maar kon niet voorkomen dat hij zichzelf tegelijkertijd lanceerde en over de reling vloog, het ijskoude water van de Colau in. Een andere teammakker, Francesco Camusso, hielp Gino weer op het droge. Rillend van de kou 'kroop' het duo de resterende dertig kilometer naar de finish, wetend dat de ongelukkige

Rossi ondertussen per ambulance werd afgevoerd. Het geel bleef nog een dag om zijn schouders, maar fysiek zat de held op het randje. Op wilskracht overleefde hij de andere Alpentochten, en gaandeweg voelde hij de krachten in zijn lichaam toenemen. En toen greep de Italiaanse federatie in, volgens Bartali onder druk van het fascistische regime in zijn land. De Toscaan moest in Marseille naar huis, om de natie een zogenoemd pijnlijke nederlaag te besparen. 'Het grootste onrecht wat mij in mijn carrière is aangedaan', zou hij jaren later zeggen. Diezelfde fascisten bepaalden in het voorjaar van 1938 dat Bartali alles op de Tour zou moeten zetten. De officials dwongen hem de Giro te laten schieten; hij kon niet anders dan aan hun wens voldoen. Met 13 op zijn rug begon hij aan het karwei van 4.687 kilometer, verdeeld over 23 etappes. Er ontstond een meeslepend gevecht – vooral in de Pyreneeën - tegen een Belgische coalitie, met onder anderen Félicien Vervaecke en Edward Vissers. Bartali gaf geen krimp, liet zich evenmin klein krijgen door de soms onmenselijke weersomstandigheden en legde de basis voor zijn eindtriomf uitgerekend op het terrein waar hij het jaar voordien door het noodlot was getroffen. In de rit Digne-les-Bains naar Briançon verpulverde hij

het hele peloton. De Vlaamse plaaggeesten Vervaecke en Vissers verloren die dag bijvoorbeeld dik zeventien en negentien minuten. 13 ongeluksgetal? Ja, voor de ongelovigen misschien...

Toch is het weinig gebeurd dat een coureur met de combinatie van de cijfers 1 en 3 als winnaar Parijs is binnen gefietst. Behalve Bartali lukte dat alleen Firmin Lambot, in 1922.

Emile Bertrand moet het anders hebben ervaren. In 1906 vertrok hij goedgemutst aan de eerste opdracht van Parijs naar Lille, slechts 275 kilometer. Gelijk 28 anderen arriveerde de Fransman nooit op het eindpunt. De Tour bleek al snel een iets te zware wedstrijd voor deze nummer 13. Andere rappe 'strijdstakers': Henri Gauban in de tweede Tour ooit (1904, 2e etappe). Deze

Gino Bartali

pionier zou in totaal vijf keer meedoen, zonder de ronde eens te volbrengen. Gauban nam het trouwens niet zo nauw met de regels: in 1906 ontdekte de Tourdirectie dat hij het traject Dijon-Grenoble voor het grootste deel per trein had afgelegd. De Belg Alex Close werd het in 1957 al in etappe twee zwart voor de ogen; deels door de hitte, deels was zijn capitulatie en die van acht andere renners (onder wie Charly Gaul) te wijten aan het veelvuldige gebruik van amfetaminen, zo oordeelden de volgers in die dagen.

Louis Trousselier was een aparte vogel die als debutant in 1905 direct maar de ronde op zijn naam bracht. Hij speelde hoog spel, want 'deserteerde' feitelijk uit het leger om een paar dagen als coureur te genieten van dat speciale sportevenement. Het ging hem uitstekend af, want hij won vijf etappes en voorkwam zo een stevige douw van de legerleiding. Hij zou later nog acht keer aan de start verschijnen, maar alle keren met minder succes (al zijn de zeven ritzeges die hij aan zijn palmares zou toevoegen, geen verkeerd aantal). Zijn minste Tour beleefde hij, met rugnummer 13, in 1911 toen hij tijdens de derde etappe de koers gedag zei. Trousselier dolde graag met zijn omgeving. Zo stond hij bekend als een kerel die de boel op humoristische wijze kon belazeren. Vermaard waren de restaurantbezoeken terwijl hij met vrienden aan het trainen was. De renner uit Levallois koos een duur etablissement uit, bestelde de mooiste gerechten en deed dan tegen het einde van de maaltijd alsof er een ruzie onder de mannen was ontstaan. En steevast ging het dan over de vraag wie de beste coureur was. Trousselier stelde de restauranteigenaar vervolgens voor een parcours uit te tekenen waarop de groep renners de strijd met elkaar zou aangaan. Wie als laatste terugkeerde bij de eetgelegenheid, zou het diner van iedereen betalen. Het eind van het liedje was altijd hetzelfde: niemand van de coureurs vertoonde zich na vertrek nog...

Nederlanders getooid met 13? Bouk Schellingerhoudt (eigenlijk Boudewijn) was de eerste die het nummer kreeg toebedeeld. In 1947 debuteerde hij in de Tour (als een van de zes Nederlandse

Bouk Schellingerhoudt.

deelnemers), maar na de achtste etappe kon hij terug naar zijn woonplaats Zaandam. De reden: tijdens de achtste rit moest hij tot drie keer toe optreden als mecanicien van zijn eigen fiets. Drie lekke banden, en aangezien er in die tijd nog geen sprake was van hulpvaardige begeleiders waren de renners op hun eigen handigheid aangewezen. Het kostte 'Gouden Bouk' zoveel tijd dat hij te laat aan de meet in Briançon aankwam. Wim de Ruyter verging het beter in 1948: de ronde reed hij van start tot finish mee, om als 42e te eindigen. Voor Jan Nolten bleek er in 1954 ook geen vuiltje aan de lucht. Hij behaalde met de veertiende plaats in de algemene rangschikking zelfs zijn beste einduitslag in vijf Tours. De clown van het peloton in de jaren zeventig van de vorige eeuw, Gerben Karstens, kwam niet weg met een van zijn capriolen. Als nietklimmer kon de nummer 13 van *La Grande Boucle* in 1978 het best waarderen wanneer de supporters hem letterlijk een duwtje in de rug gaven tijdens de beklimmingen van de meest vreselijke cols. De 'Karst' had evenwel niet in de gaten dat er commissarissen toekeken en een van hen na afloop van de laatste Alpenetappe besliste dat de notariszoon te veel had geprofiteerd. Karstens mocht zijn koffers pakken.

Tot slot droeg Henk Lubberding in de voor Nederland gedenkwaardige Tour van 1980 het ongeluksgetal. Al in rit drie bewees de doordouwer dat hij niets te vrezen had, door in de etappe Metz-Luik naar de dagprijs te soleren. Bovendien sloop hij Parijs binnen als lid van de top tien (10e plaats).

ALLE RUGNUMMERS 13 MET HUN PRESTATIES

JAAR	PERSOON	EINDKLASSERING	ETAPPEZEGE
1904	Henri Gauban (FRA)	DNF 2	0
1905	Hippolyte Aucouturier (FRA)	2	3
1906	Emile Bertrand (FRA)	DNF 1	0
1907	Henri Lignon (FRA)	DNF 10	0
1908	Georges Fleury (FRA)	7	0
1909	Georges Fleury (FRA)	12	0
1910	Jean-Baptiste Dortignacq (FRA)	DNF 9	0
1911	Louis Trousselier (FRA)	DNF 3	0
1912	Charles Deruyter (BEL)	16	0
1913	Paul Hostein (FRA)	17	0
1914	Oscar Egg (ZWI)	13	2
1920	Léon Scieur (BEL)	4	1
1921	Romain Bellenger (FRA)	DNF 7	1
1922	Firmin Lambot (BEL)	1	0
1924	Jean Alavoine (FRA)	14	0
1925	Camille Van de Casteele (BEL)	DNF 3	0
1926	Albert Dejonghe (BEL)	6	0
1927	Gustaaf Van Slembrouck (BEL)	14	2
1928	Maurice Geldhof (BEL)	DNF 17	0
1929	André Leducq (FRA)	11	5
1930	Giuseppe Pancera (ITA)	20	0
1931	Eugenio Gestri (ITA)	DNF 20	1
1932	Eugenio Gestri (ITA)	DNF 11	0
1933	Vasco Bergamaschi (ITA)	39	0
1934	Giovanni Cazzulani (ITA)	16	0
1935	Francesco Camusso (ITA)	DNF 15	1
1936	Erich Händel (DUI)	DNF 15	0

DNF: Did not finish, DNS: Did not start
OTL: Out of time limit, DSQ: Disqualified

1937	Giuseppe Martano (ITA)	24	0
1938	Gino Bartali (ITA)	1	2
1939	Theo Perret (ZWI)	41	0
1947	Bouk Schellingerhoudt (NED)	OTL 7	0
1948	Wim de Ruyter (NED)	42	0
1949	Norbert Callens (BEL)	DNF 11	1
1950	Marcel Dupont (BEL)	DNF 20	0
1951	Gino Bartali (ITA)	4	0
1952	Germain Derycke (BEL)	DNF 3	0
1953	Carlo Lafranchi (ZWI)	61	0
1954	Jan Nolten (NED)	14	0
1955	Alex Close (BEL)	9	0
1956	Angelo Conterno (ITA)	41	0
1957	Alex Close (BEL)	DNF 2	0
1960	Julio San Emeterio (SPA)	DNF 4	0
1961	Henry Anglade (FRA)	18	0
1962	Rino Benedetti (ITA)	63	1
1963	Jean Gainche (FRA)	20	0
1964	Robert Cazala (FRA)	59	0
1965	Gilbert Bellone (FRA)	OTL 15	0
1966	André Darrigade (FRA)	62	0
1967	Hans Junkermann (DUI)	11	0
1968	Serge Bolley (FRA)	48	0
1969	Jos Huysmans (BEL)	DNF 16	0
1970	Raymond Delisle (FRA)	11	0
1971	Ward Janssens (BEL)	75	0
1972	Gérard David (BEL)	59	0
1973	Jacques Botherel (FRA)	71	0
1974	José Catieau (FRA)	28	0
1975	Yves Hézard (FRA)	21	0

1976	André Chalmel (FRA)	65	0
1977	Raymond Delisle (FRA)	9	0
1978	Gerben Karstens (NED)	DSQ 17	0
1979	Joël Gallopin (FRA)	67	0
1980	Henk Lubberding (NED)	10	1
1981	Jacques Bossis (FRA)	63	0
1982	Johan De Muynck (BEL)	28	0
1983	Philippe Chevallier (FRA)	47	1
1984	Pedro Delgado (SPA)	DNS 20	0
1985	Dominique Arnaud (FRA)	22	0
1986	Beat Breu (ZWI)	74	0
1987	Davide Cassani (ITA)	111	0
1988	Rudy Dhaenens (BEL)	87	0
1989	Rudy Dhaenens (BEL)	DNS 18	0
1990	Christophe Lavainne (FRA)	DNF 14	0
1991	Guido Bontempi (ITA)	96	0
1992	Dirk De Wolf (BEL)	86	0
1993	Mario Chiesa (ITA)	92	0
1994	Federico Echave (SPA)	34	0
1995	Dario Bottaro (ITA)	79	0
1996	Herminio Díaz Zabala (SPA)	53	0
1997	Laurent Brochard (FRA)	31	1
1998	Laurent Dufaux (ZWI)	DNS 7	0
1999	Sergio Barbero (ITA)	124	0
2000	Dariusz Baranowski (POL)	30	0
2001	Giuseppe Guerini (ITA)	39	0
2002	Udo Bölts (DUI)	48	0
2003	José Azevedo (POR)	26	0
2004	Santiago Botero (COL)	75	0
2005	Matthias Kessler (DUI)	56	0

2006	Stuart O'Grady (AUS)	87	0
2007	José Vicente García Acosta (SPA)	89	0
2008	Fabian Cancellara (ZWI)	62	1
2009	Sebastian Lang (DUI)	76	0
2010	Fabian Cancellara (ZWI)	121	2

Quizvragen - In strijd met de tijd

Wij mensen houden allemaal wel van competitie. Van
duels op het scherp van de snede om elkaar af te troeven. En dan zeker als het gaat om de parate kennis over
het wielerparadijs op aarde, de Tour de France. Maak er
een leuke onderlinge strijd van met de buurman, broer,
zus, vader, opa of oma, of wie dan ook. Seconden tellen,
maar ook goede antwoorden! Gebruik om het spannend
te maken een stopwatch. Tijdrijders doen het immers
tegen de klok. Beuken op de pedalen om dat tikkende
uurwerk te kloppen, in de wetenschap dat zoiets een
utopie is. Maar van A naar B zo snel mogelijk afleg-
gen ontaardt wel in een duel met soortgenoten, en in
dat opzicht valt er altijd winst te behalen, toch? Wees
gewaarschuwd: de vragen zijn niet altijd even simpel.
Maar dat is de Tour per slot van rekening ook niet...
Of ga gewoon op je gemak na hoe het is gesteld met de
geestelijke bagage op wielergebied. De antwoorden zijn
altijd achterin het boek terug te vinden.

QUIZVRAGEN TOUR VOOR WO II

❶ Hoeveel renners stonden er aan de start van de eerste Tour de France in 1903?

----

❷ De Fransman en eerste Tourwinnaar Maurice Garin werd niet in Frankrijk geboren. In welk land stond zijn wieg?

----

❸ François Faber werd in 1908 en 1910 tweede in de Tour en won in 1909. Hij was geboren en getogen in Frankrijk, maar fietste onder een andere vlag. Welke?

----

❹ In 1915, 1916, 1917 en 1918 was er in verband met de Eerste Wereldoorlog geen Tour de France. Welke drie Tourwinnaars overleefden deze oorlog niet?

----

❺ In 1926 startte de Tour de France voor het eerst niet in Parijs. In welke plaats ging de Tour in 1926 van start?

----

❻ In 1934 vond de eerste tijdrit in de Tourgeschiedenis plaats. De tijdrit ging over 90 kilometer van La Roche-sur-Yon naar...........

----

❼ In 1936 deden er vier Nederlanders mee aan de Tour de France. Theo Middelkamp won de zevende etappe in Grenoble. Wie waren de andere drie Nederlandse coureurs?

----

❽ In 1939 vond de eerste klimtijdrit plaats in de geschiedenis van de Tour de France. Welke Alpenreus werd hierin beklommen?

----

⑨ Wie won in 1939 als laatste Nederlander voor WO II een Touretappe?

⑩ Op 19 juli 1919 werd de gele trui geïntroduceerd. Wie was de eerste renner in deze trui in de Tourgeschiedenis?

GEEN JOUR
ZONDER TOUR

TOUR DE FRANCE

1947-1980

1947

Jean Robic durfde te wachten

Je moet durven wachten. Nooit in je kaarten laten kijken, altijd troeven achter de hand houden. En wachten. Soms tot je zelfs al bijna in Parijs bent. Met die gedachte wist Jean Robic de Tour de France te winnen, zonder ook maar één dag het geel gedragen te hebben. Op zo'n beetje de laatste helling voor het binnenrijden van Parijs, ontvlamde de Breton en reed hij in 1947 – op de slotdag van de eerste naoorlogse Tour – Pierre Brambilla alsnog uit het geel. Robic was een aparte. Een heel aparte. Een lelijkerd bovendien. In het boek Heldenlevens omschreef Martin Ros hem als 'een knoestige dwerg'. Dat er toch een vrouw was geweest, de bepaald niet onappetijtelijke Raymonde Cornic, die hem zag zitten en met hem was getrouwd, wekte dan ook verbazing. Raymonde: 'Maar ik vond Jean zo ontzettend lelijk, zo aangrijpend lelijk zelfs, dat ik hem toch ook weer mooi vond.'

Robic had haar in Parijs ontmoet, in café Rendez-vous des Bretonnes. In de grote stad deed Robic klusjes bij provinciegenoten. Nog tijdens de Tweede Wereldoorlog keerde hij met Raymonde terug naar het platteland. Als timmerman – de verhalen gaan dat Robic er eigenlijk maar bar weinig van kon –, schaapsherder en automonteur trachtte hij de kost te verdienen, als wielrenner lukte hem dat beter.

In 1947 beleefde Robic zijn doorbraak. De dreumes met de olifantsoren, en het bovennatuurlijke grote waterhoofd, bleek gehard dankzij de koude Bretonse winters. En kon elke tegenslag verteren. Dat waren er overigens nogal wat. Want echt stevig zat Robic niet in het zadel. Polsen, schouderbladen, sleutelbenen, handen en dijbenen, ja zelfs de schedel, alles brak hij een of meerdere keren. Vijfmaal maakte hij een smakkerd na een aanrijding met een hond. Een fotograaf die hem na een van die vele valpartijen hevig bloedend vastlegde op de gevoelige plaats, omschreef Robic als 'een geslachte kip'. Robic zelf vond dat niet de juiste omschrijving. 'Ik zag eruit als een Breton.'

Na 1947 won Robic overigens nog wel wat Touretappes (en werd hij nota bene de eerste wereldkampioen veldrijden, in 1950), zijn carrière raakte wel meer en meer in het slop. Overal probeerde hij – zowel financieel als publicitair – nog zijn graantje mee te pikken, maar zijn levensstijl begon zich te wreken. Robic kon de fles maar moeilijk laten staan, at de raarste dingen en bleek een bekwaam vechtersbaas. Na zijn loopbaan baatte hij een café uit in Montparnasse, misschien niet de gelukkigste keuze. Robic dronk zijn eigen klanten onder tafel. Raymonde verliet hem, zag opeens hoe lelijk Jean echt was.

Op 6 oktober 1980 kwam er een einde aan Robics leven. Tijdens een feestavond voor oud-renners in het Maison des Jeunes in Pantin dronk Robic weer eens te veel. Op weg naar huis botste de Breton tegen een vrachtwagen.

JEAN ROBIC

Bij zijn begrafenis in Wissous waren alle wielerhelden van voorheen van de partij. Robic had zelf zijn laatste rustplaats gekozen, nabij de zee. 'Nergens blaffen de honden naargeestiger tegen de maan dan in eenzame Bretonse nachten. Daar wil ik dus liggen, zo dicht mogelijk bij de oceaan, die ik dan altijd kan blijven horen.'

Kies de juiste route

Streep de foute antwoorden weg, of kies de juiste optie, dat kan natuurlijk ook.

────────────── 1947 ──────────────

Op 19 juli 1947 had de Tourorganisatie een tijdrit gepland van 139 kilometer. Op de twee-na-laatste dag nog wel, terwijl het peloton reeds 3.999 kilometer had weggemalen. De uitstekende klimmer **Briek Schotte | Primo Volpi | René Vietto** was de trotse leider, maar hij overleefde de rit tegen het uurwerk niet. De **Fransman | Belg | Italiaan** Raymond Impanis zegevierde, terwijl **Pedro | Salvatore | Pierre Brambilla** zich het geel toeëigende. Van de eerdere klassementsaanvoerder hoorden we de resterende dagen weinig meer. Hij eindigde als **4e/5e/6e** in Parijs.

Albert Bourlon

1947

Albert Bourlon, de langste dag

Zijn record zal niet zo snel nog worden verbeterd. Simpelweg omdat de organisatie van de Tour de France wel uitkijkt om al te lange etappes in te plannen. De langste succesvolle ontsnapping in de Tour de France staat op naam van Albert Bourlon. In 2013 kwam hij te overlijden, op 96-jarige leeftijd. Zijn leven lang was Bourlon benieuwd of zijn record, gevestigd op 11 juli 1947, ooit verbroken zou worden. De kans is groot dat het over vijftig jaar nog staat. Op het moment dat Bourlon stierf was hij overigens ook de oudste nog in leven zijnde coureur die deelgenomen had aan de Tour. Kortom, boerenzoon Bourlon (geboren op 23 november 1916) was er één met uitzonderlijke krachten. Dat bleek wel in 1947.

Bourlons carrière was door de Tweede Wereldoorlog, het gold vanzelfsprekend voor meer renners van zijn generatie, hinderlijk onderbroken. En meer dan dat. Bourlon werd al in 1939 onder de wapenen geroepen én beleefde hachelijke tijden. De Duitsers namen hem krijgsgevangen. Ze hadden echter buiten de ontsnappingskunsten van Bourlon gerekend. Tot drie keer toe ondernam de Fransman een vluchtpoging, voordat het hem écht lukte te ontsnappen richting Roemenië. Daar nam hij nota bene ook deel aan koersen. Op zijn erelijst staat zelfs de wedstrijd Boekarest-Ploesti-Boekarest.

Na twee jaar keerde Bourlon terug richting Frankrijk, waar hij zich als een overtuigd communist afficheerde en zich in Bourges vestigde. Ook het fietsen pakte hij weer op. Hij won Parijs-Bourges, met aankomst in zijn nieuwe woonstek. En zette ook de Tour weer op zijn kalender. Tussen zijn eerste deelname in 1938 (35e) en z'n tweede Tour zat bijna een decennium.

Bourlon, die zwoer bij een bidon met thee en suiker-klontjes-met-rum, had in 1947 buitengewoon veel zin in de rit van Carcassonne naar Luchon. Al vanuit het vertrek demarreerde hij. 'Er was die ochtend bij het ontbijt bekendgemaakt dat er een premie van 20.000 francs lag te wachten voor de eerste die door Espéraza kwam.' Uiteindelijk waren de verdiensten een stuk groter, 100.000 francs verzamelde Bourlon onderweg, tot zijn eigen verbazing overigens.

De 253 kilometer tussen start en finish legde hij goeddeels solo af, het waren ruim acht eenzame uren. De beloning was er echter naar. En niet alleen financieel. Nog altijd staat hij, ook na zijn dood, in de recordboeken. In zijn woonplaats Bourges werd, nota bene enkele dagen voor zijn overlijden, de nieuwe wielerbaan naar hem vernoemd.

1949

Na 45 jaar geel voor Norbert Callens

Chicorei Koningin Astrid. M. Quartier, Roeselaere
Chicorée Reine Astrid. M. Quartier, Roulers

Norbert CALLENS

Norbert Callens, nee, zijn naam en daden op de wegen van *La Grande Boucle* staan niet in gouden letters beschreven in de kronieken van de ronde. Daar was deze Vlaming simpelweg niet goed genoeg voor. Drie keer reisde hij af naar het Franse land, en in alle gevallen was de benzine in zijn tank ruim voor de eindstreep verdampt. En toch is er een uitstekende anekdote over de man uit Wakken, een deelgemeente van het West-Vlaamse Dentergem.

We moeten ervoor terug naar 1949, derde etappe. Brussel liep uit om de mannen van stavast uit te zwaaien voor de rit naar Boulogne-sur-Mer. Roger Lambrecht voerde de colonne aan in zijn gele tricot, dankzij de overwinning in de tweede rit waarmee hij het land in staat van opperste verrukking had weten te brengen. Ja, Lambrecht droeg het shirt van de leider wél. Zeven uur later was hij de koppositie kwijt aan een landgenoot. Callens had zijn kans schoon gezien en was ontsnapt in het gezelschap van een Pool, César Marcelak, en een andere Belg, Florent Mathieu. Het trio

bouwde een leuke marge op en behield de voorsprong
tot op de meet. Callens, op dat moment 25, wist niet
wat hem gebeurde. Plotseling gold hij als dé man van de
bende. Hij maakte zich gereed voor de ceremonie proto-
collaire, om op het ereschavot te worden geconfronteerd
met een gigantische tegenvaller.
'De gele trui ontbrak bij de huldiging', vertelde hij
tijdens de radioreportage naderhand. 'De camion die de
truien en de kostuums van de renners vervoerde, was
niet gearriveerd. De auto had panne, en dus kon men
mij geen trui overhandigen. Voor die gelegenheid was
de zangeres Line Renaud gestrikt. Die stond er ook mooi
werkeloos bij. Totdat een Belgische sportjournalist een
ingeving kreeg. Hij droeg een gewone, geelkleurige trui
die hij uitdeed en mij liet aantrekken. Zo had ik toch iets
geels als klassementsaanvoerder van de Tour.'
Daags nadien tekende Callens de presentielijst, gekleed
in het tenue van de Belgische nationale ploeg. 'Er was
nog geen teken van leven geweest van de chauffeur van
de vrachtauto, dus ik had het shirt aan dat ik gewend
te dragen. Maar 's middags, of beter gezegd 's avonds
na de etappe, moest ik vernemen dat de koersleiding
me een boete had opgelegd van 3.000 Franse franken
wegens het rijden zonder de gele trui. Volgens Jacques
Goddet bestond het niet dat de geletruidrager van de
ronde zijn trui niet toonde aan het volk. Nondeju, ik
kon dat ding niet aan, want ik had 'm niet. Dat legde ik
Goddet uit. "Meneer, er ís geen gele trui. Mijn soigneur
is er achteraan gegaan, maar er was niets, werd hem
gezegd". Heel ambetant allemaal. Onderweg hoorde ik
overal mensen langs het parcours vragen waar de gele

trui zat, want die zagen ze niet... Wat nogal logisch was,
hè', klonk het smalend.

In Rouen, finishplaats van de vierde etappe, moest
Callens toekijken hoe de Fransman Jacques Marinelli,
glunderend in het geel werd geholpen. De camion was
kennelijk weer gerepareerd. Een pijnlijk moment dat
de Vlaming nog 45 jaar zou voelen. In 1994 kwam
de bevrijding, toen de Tour Boulogne-sur-Mer weer
aandeed. Op de dag dat de Nederlandse sprinter Jean-
Paul van Poppel zijn negende en laatste ritzege van zijn
carrière liet noteren, stond ook een bejaarde man op het
podium te pronken. Dat was de toen 70-jarige Norbert
Callens. Eindelijk had hij ook zijn gele trui te pakken...

Kies de juiste route

**Streep de foute antwoorden weg, of kies de juiste
optie, dat kan natuurlijk ook.**

~~~~~~~~~~~ **1953** ~~~~~~~~~~~

Jarenlang kwakkelde Louison Bobet. Elke ronde had
de **Breton** | de **Parijzenaar** | de **Normandiër** wel een
slechte dag. Mogelijk was het te wijten aan zijn condi-
tie/weersomstandigheden/suikerziekte. Dankzij een
concurrent nota bene, **Fausto Coppi** | **Gino Bartali** |
Jean Robic, besefte Bobet dat een ander eetpatroon
hem op het goede pad kon helpen. Bobet ging meer **vis** |
meer **vlees** | meer **rijst** en vruchten eten en werd fysiek
almaar sterker. Prompt won hij driemaal op rij de Ronde
van Frankrijk, in 1953, 1954 en 1955.

1954

Prijsje én ijsje voor Federico Bahamontes

Je kunt natuurlijk ook te bescheiden zijn. Federico Martin Bahamontes stelde zich ieder jaar weer een doel als de Tour de France naderde. De klimmer wilde het bergklassement winnen. Niets minder, maar ook niet veel meer. 'Bahamontes is synoniem voor het hooggebergte', aldus de Spanjaard uit het vlak bij Toledo gelegen Domingo-Caudilla zelf. Hij kende, waarschijnlijk beter dan wie ook, zijn beperkingen. Sprinten was te veel gevraagd, tijdrijden een verzoeking. Volgen op het vlakke ging vaak nog net, maar dalen kon hij ook al niet. De verhalen over Bahamontes zijn in de loop der tijden mooier en mooier geworden. Uit overlevering, en afgaande op het prachtige zwart-witfotomateriaal, is echter wel duidelijk hoe stijlvol Bahamontes richting de top van de Alpenreuzen en Pyreneeëntoppen fladderde. Als een vogel, een adelaar. 'De Adelaar van Toledo'. Niemand danste zo mooi op de pedalen als hij, niemand klom zo makkelijk. In 1954, zijn debuutronde, was het direct zichtbaar. In jacht op de punten voor het bergklassement snelde Bahamontes in de etappe van Lyon naar Grenoble naar de top van de Col de Romeyère. Eenmaal boven kneep hij de remmen dicht. Bij een ijskarretje, op deze hoogtijdag naar de top gekomen, bestelde de Spanjaard volgens overlevering een ijsje, om vervolgens geduldig likkend het peloton op te wachten.

Johan Cruijff samen met
Federico Bahamontes bij de
start van de zesde etappe in 2009
van Girona naar Barcelona.

Dat althans was het verhaal dat lang de ronde deed.
Zelf ondernam Bahamontes aanvankelijk weinig om de
mythe te ontkrachten. Maar na zijn carrière was Bahamontes heel wat helderder over het voorval. Hoewel, hij
vertelde meerdere verhalen. Soms was het de derailleur,
dan weer een aantal spaken. Hoe dan ook: een defect
aan zijn fiets had hem in de klim al enigszins parten

gespeeld, maar een afdaling ermee maken kon in ieder geval niet. In L'Équipe, een paar jaar terug: 'Aan de voet van de berg werd mijn wiel geraakt door een steen. Het gevolg was dat er twee spaken braken. Dat wiel liep aan, tegen mijn rem. Maar ik wilde de bergprijs, boven op de top lagen 50.000 oude francs klaar. Eenmaal bovenop moest ik echter wel wachten.'

Vandaar dat El Tipico – zo genoemd omdat de coureur zo nu en dan toch wel wat apart gedrag vertoonde – op de top dus op een mecanicien had gewacht. Om de tijd nuttig te besteden, en zijn vochtpeil weer op orde te brengen, had Baha-montes bij de ijscokraam (die er dus wel degelijk was) ingeslagen. 'Er waren zelfs twee standjes die hoorntjes verkochten. Ik heb bij één ervan, met mijn handschoenen, zelf geschept en mijn bidon met ijs gevuld.' Slechts zelden ging Bahamontes, hoewel de ronde zijn hoofddoel was, met klassementsambities naar de Tour. Vrijwel nooit wilde Bahamontes van tactiek wisselen; tussen 1954 en 1965 was het bergklassement doorgaans zijn hoogste doel. Zes keer won hij het klassement. Zelfs etappezeges leek hij amper na te streven. Toch won de Spanjaard, die de achternaam van zijn moeder als coureursnaam hanteerde, zeven Tourritten. Slechts eenmaal, in 1959, had Bahamontes zich ambitieuzer opgesteld. 'En nu ben ik gekomen om de Tour te winnen.' In de vlakke aanloop had hij dertien minuten verloren, maar in de Pyreneeën werden zijn aspiraties duidelijk. Prompt won Federico de Ronde. Het was trouwens de eerste keer dat een Spanjaard de Franse etappekoers won.

Frederico Bahamontes, de 'Adelaar van Toledo', op de vlucht in de Alpen.

Kies de juiste route

Streep de foute antwoorden weg, of kies de juiste optie,
dat kan natuurlijk ook.

1954

Altijd was de Tour in eigen land, in Frankrijk gestart.
Maar nu werd daar voor het eerst een uitzondering op
gemaakt. **Amsterdam | Brussel | Rotterdam** kreeg de
eer. Voor de buitenwacht was het een eerbetoon aan de
nationale ploeg die het jaar ervoor zo verrassend goed
had gepresteerd in de Tour de France. Maar de reden
was een andere. Tourdirecteur **Felix Lévitan | Jean-
Marie Leblanc | Jacquet Goddet** wilde met een start in
het buitenland de nieuw op te richten Ronde van Europa
de loef afsteken. Er werd voor **plagiaat | sabotage |
concurrentie** gevreesd. De eerste etappe, die in Bras-
schaat finishte, werd gewonnen door **Wim van Est |
Henk Faanhof | Wout Wagtmans**.

1955

Daan de Groot, koolbladeren zijn cool

De overlevering wil dat zijn aankomst nooit live op de radio te horen viel. Daan de Groot reed die ene, verzengend hete dag in 1955, simpelweg te hard. Na de etappe van Millau naar Albi had hij, de grote Amsterdammer, een voorsprong van liefst 20 minuten en 31 seconden. Daar hadden de heren van de media niet op gerekend. Met de uitzonderlijke prestatie staat De Groot in een lijst met naoorlogse ritwinnaars nog altijd in de top drie. José-Luis Viejo is koploper. De Spanjaard had in 1976, na de etappe Montgenèvre-Manosque, liefst 22.50 minuten voorsprong op de nummer twee, Gerben Karstens. Ook Pierino Baffi (een marge van 21.48 minuten in 1957) overtroefde hem.

Tourdebutant De Groot had zíjn ruime voorsprong mede te danken aan het feit dat zijn Frans van een belabberd niveau was. Bij een eerste doorkomst in Albi riep de speaker om dat De Groot dertien minuten voorsprong had. De Groot kreeg door het enthousiasme van de omroeper echter de indruk dat het peloton hem in het vizier kreeg en zette nog eens aan.

De dag was overigens allesbehalve voorspoedig begonnen voor de Amsterdammer. Bevangen door de warmte had hij al vroeg moeten lossen. Een middeltje uit grootmoeders tijd bracht verlichting. Bij ontstentenis van goede bescherming tegen de zon stapte De Groot een akker in, plukte daar wat koolbladeren en drapeerde die over zijn hoofd. De hoofdpijn en duizeligheid verdwe-

Daan de Groot - Wielrennen

nen al snel. Eenmaal terug in het peloton had De Groot de smaak te pakken en demarreerde direct. Er volgde een solo van liefst 150 kilometer. Met het koolblad op zijn kop. De Groot, deelnemer aan de Spelen van 1952 in Helsinki, deed zijn naam overigens eer aan. Hij was een bonkige kerel, een krachtpatser. Daan kwam uit een sterk, sportief geslacht. Als zoon van een kruidenier reed hij al jong zijn eerste kilometers. Op de fiets bracht hij de bestellingen voor vader rond, in heel Amsterdam.

Bébé Schulte, een bijnaam die hij in Frankrijk kreeg vanwege zijn gelijkenissen met zijn roemruchte voorganger Gerrit Schulte, won in zijn carrière slechts één rit. Desondanks was niet 1955, maar 1956 zijn beste Tourjaar. Hij reeg dat jaar de ereplaatsen aaneen, stond enkele dagen tweede in het klassement én kreeg tijdelijk de groene trui voor het puntenklassement om de schouders. Uiteindelijk bereikte hij als vijftiende Parijs.

In de Tour van 1957 maakte De Groot opnieuw de fout waar hij zich in 1955 juist nog tegen had weten te wapenen. De hitte kreeg vat op hem, zijn conditie liep snel terug. Ook in 1959, de Nederlands-Luxemburgse ploeg was gestart om Charly Gaul aan de eindzege te helpen, viel De Groot uit. Ditmaal werd door Tourarts Dumas zelfs officieel vastgesteld dat De Groot bevangen was door de hitte. Dumas constateerde een zonnesteek en gaf hem het dringende advies de koers te verlaten. Nooit keerde De Groot, 'Daantje het Grote Kind', nog terug in de Tour. Hij werd taxichauffeur en kwam jong aan zijn einde. In 1981 stierf zijn vrouw, hetgeen De Groot danig ontwrichtte. Op 48-jarige leeftijd stapte hij uit het leven.

Kies de juiste route

Streep de foute antwoorden weg, of kies de juiste optie, dat kan natuurlijk ook.

1956

Roger Walkowiak was een Fransman van **Poolse | Duitse | Tsjechische** afkomst. In de Tour die hij uiteindelijk zou winnen, hoorde hij bij de volstrekte **outsiders | grote favorieten | kanshebbers.** Mannen als Charly Gaul, Federico Bahamontes en Stan Ockers keken bij voortduring naar elkaar. Walkowiak profiteerde door in de zevende etappe veel tijdwinst te boeken. Walkowiak reed voor de **Franse selectie | een regionaal team | als individueel renner.** In de Alpen bleef Walkowiak lang in het spoor van Gaul, verloor hij relatief weinig tijd en greep hij het geel. Als eerbetoon aan hem heet een lange ontsnapping die het klassement op zijn kop zet een Rogertje | een Walkowiakje | een regionaaltje.

1958

Het was een van de meest bizarre ongelukken uit de Tour de France. En het gebeurde nota bene niet eens op de openbare weg. De **Franse** | **Belgische** | **Italiaanse** sprinter André Darrigade kwam in 1958 bij de aankomst van de slotetappe op de wielerbaan in het Parc des Princes in aanraking met een **collega-renner** | **baancommissaris** | **ploegleider**. De man in kwestie, Constant Wouters, werd naar het ziekenhuis vervoerd, waar hij elf dagen later overleed. Darrigade zou de rit gewonnen hebben als Wouters niet op de baan had gestaan, maar bleef nu in die Tour op **vijf** | **drie** | **vier** ritzeges staan. De etappewinst ging naar Gastone **Nencini** | **Pierino Baffi** | **Jean Graczyk**.

1960

Het geel gloorde, de **Limburger** | **Brabander** | **Groninger** Martin van den Borgh kon het amper bevatten. Daar waren de bordjes van de laatste kilometers. Langs de weg stonden steeds meer agenten, en op 300 meter van de meet bij het Heizelstadion gebeurde het. Een agent sprong op de weg en maakte **stopgebaren** | **wees gedecideerd met zijn arm naar rechts** | **stak pardoes over**. Van den Borgh was er jaren ziek van dat hem op deze manier een hoogtijdag door de neus was geboord. Geen ritzege, geen geel. De etappewinst kwam nu terecht bij Gastone **Nencini** | **Jos Hoevenaers** | **Julien Schepens**.

1964

De dag dat de Dordogne rood kleurde

Het volk van Port de Couze, een onvindbare vlek op de landkaart, huilde en huilde. Het tranendal zou de Dordogne haast buiten zijn oevers doen treden na de tragedie van ongekende omvang, waarbij acht dodelijke slachtoffers waren te betreuren. En dat uitgerekend op de dag – 11 juli 1964 – waar iedereen in het gehucht zich zo op had verheugd: de passage van Le Tour! Rit negentien voerde langs deze pittoreske stek.

Met honderden hadden de dorpelingen zich verzameld op en rond de brug waarover het peloton de rivier zou oversteken, richting aankomstplaats Brive-la-Gaillarde. Vlak voor de renners rechtsaf zouden slaan, naderde een grote, grommende tankwagen. Het was het bevoorradingsvoertuig van de gemotoriseerde rijkswacht die de karavaan begeleidde door Frankrijk. De chauffeur van de bullebak had kennelijk haast, want nogal driftig en met behoorlijke snelheid sneed hij de bocht aan. Wat er precies gebeurde, zou nooit worden opgehelderd, maar de auto schoot plotseling door zijn remmen en werd nagenoeg onbestuurbaar. In plaats van de weg te volgen knalde het gevaarte rechtdoor op de uit elkaar stuivende

menigte af. Een ogenblik later donderde het monster
van de brug het water in, daarbij verschillende geraakte
mensen met zich meesleurend. De paniek was enorm, zo
zou de Vlaamse journalist Robert Janssens later opteke-
nen uit de mond van Jacques Anquetil. Huilende mensen
en schreeuwende kinderen liepen de coureurs tegemoet.
'Overal lagen er gewonden, overal zagen we bloed. Het
was verschrikkelijk. Er kwam een vrouw naar mij toe
gestrompeld. Zij hield mij tegen en jammerde: "Mijn-
heer Anquetil, ik heb mijn hele familie verloren. Wat
moet ik nu doen? Help mij toch..."'
Acht personen lieten door het noodlottige ongeval het
leven: twee mannen, drie vrouwen en drie kinderen.
Bovendien maakte de gendarme 's avonds de balans
op van het aantal gewonden: 21. Port de Couze zou,
zo realiseerde zich de rouwende bevolking, een zwarte
bladzijde vullen in het dikke boek van de rondegeschiedenis. Wat een feestelijk hoogtepunt van de zomer had
moeten zijn voor de hechte gemeenschap, was in een
handomdraai veranderd in een thriller met een afschu-
welijke ontknoping.
Ja, er werd 's middags in Brive nog wel gespurt voor
de zege. En Edward Sels, een nieuw gezicht in de Tour,
boekte zijn vierde overwinning. Die prestatie was evenwel van nul en generlei waarde, op dat moment...

Nieuwsbeelden van het dramatisch ongeluk in de Dordogne in 1964.

Nederlands unicum in de Tourgeschiedenis

Oké, tijdens de Olympische Winterspelen lukte het de
Nederlanders geregeld: 1, 2 en 3 op een afstand. Maar
wielrennen is geen schaatsen. En de Tour de France
al helemaal niet. Toch slaagden Nederlandse coureurs
er inmiddels vier keer in het complete podium na een
Touretappe te bezetten. Voor de laatste keer lukte dat in
2002.
Maar de primeur dateert van 27 juni 1964. Henk Nijdam
won die dag de zesde etappe in de Tour de France. Op
het podium was Nederlands die dag de voertaal. Ook de
nummers twee en drie uit de rituitslag waren Hollan-
ders: Jo de Haan en Jan Janssen.
De wijze waarop Nijdam in 1964 de etappe tussen
Freiburg im Breisgau en Besançon naar zijn hand zette,
typeerde de coureur. Drie kilometer voor de streep
demarreerde de achtervolger, gewezen wereldkampioen
op dat baanonderdeel. Nooit werd het gat heel groot.
Op de streep, getrokken op de wielerbaan in Besançon, had Nijdam senior, wiens zoon Jelle zijn specifieke
tijdrijderscapaciteiten erfde, nog elf tellen over. Aan de
meet onthulde Nijdam – die in 1963 na een aanrijding
van de doktoren te horen had gekregen dat het met zijn
carrière gedaan was – wat hem nu juist had doen volhar-
den: 'Mijn vrouw Lidy is vandaag jarig. Ik ga haar straks
opbellen. Wat een cadeau.' Bij Nijdams dood in 2009 zei

Drie Nederlanders op het podium in Leiden tijdens de Tour de France 1978. Vanaf links Gerrie Knetemann (2e), Joop Zoetemelk (3e) en Jan Raas (1e).

Jan Janssen, destijds dus derde in die rit, al te weten hoe de etappe zou eindigen. 'Want als Henk weg was, dan zag je hem niet meer terug.' In 1968 waren de twee nota bene ploeggenoten tijdens de Ronde van Frankrijk. Nijdam, al lang niet meer zo krachtig als in zijn beste jaren, was op het laatste moment overgehaald om aan de Tour deel te nemen. Een succes werd dat niet. Halverwege de Tour moest hij totaal gedemoraliseerd opgeven, aan het eind van dat jaar kneep hij de remmen definitief dicht. Janssen reed wel verder die Tour. Sterker nog, hij won die ronde. De eerste 1-2-3 kreeg in de vijftig jaar nadien nog drie keer navolging. In de jaren zeventig, onder meer de hoogtijdagen van Raleigh, lukt het de Nederlanders zelfs tweemaal, in 1977 én 1978. Eerst zorgden Gerrie Knetemann, Cees Bal en Gerben Karstens voor een 1-2-3, in de negentiende etappe. Een jaar later werd het kunstje gekopieerd. In Nederland nota bene, in Leiden om precies te zijn, werden Jan Raas, Gerrie Knetemann en Joop Zoetemelk eerste, tweede en derde tijdens de proloog. Ook de vierde stek was voor een oranje-man: Hennie Kuiper. De Tourorganisatie – achter de schermen in een felle strijd met de plaatselijke organisatoren over veiligheidsissues en geldkwesties – besloot echter vanwege de enorme regenbuien de uitslag te annuleren en Jan Raas geen gele trui uit te reiken.

De laatste keer dat het lukte was, als gezegd, in 2002. Servais Knaven, van Domo/Farm Frites, werd in de straten van Plouay in de luren gelegd door een Rabobank-tweetal. Karsten Kroon won de rit, Erik Dekker juichte in het wiel van Knaven zo mogelijk nog harder.

1968

Samyn: gevalletje van doping

Tom Simpsons dood in 1967 op de flanken van de Mont
Ventoux zette de Tourorganisatie ertoe aan serieus werk
te maken van de dopingcontroles die reeds in 1966
waren ingevoerd. De manier waarmee er echter toen
werd omgegaan, leek nog nergens op. Renners kwamen
met mooie excuses weg, en wanneer iemand positief
was, volgde er dikwijls geen straf. Het overlijden van de
Brit Simpson veranderde dat. Een jaar later bungelde de
Fransman José Samyn figuurlijk aan de hoogste boom.
De Nordist, woonachtig in Quiévrechain, stond met
ontzettend veel moraal aan het vertrek van zijn tweede
Tour. In zijn debuutjaar griste hij meteen een etappe
mee, en als renner van de Franse A-ploeg wenste hij
daar een blits vervolg aan te geven. Was het daarom dat
Samyn nog voor de eerste helft van de ronde achter de
rug was, tegen de lamp liep? Na de
etappe Lorient-Nantes moest hij zich
melden bij de jury die hem vertelde
dat hij positief had getest na een
eerdere rit. Het middel Corydrane
(een amfetamineachtig preparaat)
werd hem fataal en zo ging de
ploegmakker van Jan Janssen (alleen
in de Tour niet, want daarin waren
louter landenteams startgerechtigd)
de boeken in als eerste overtreder
van het dopingreglement. Er was

De gele trui van
Eddy Merckx

één troost: er zouden nog velen volgen. Maar daar had Samyn, die op een haar na onmiddellijk was gestopt met fietsen, op dat moment niets aan. Een verschrikkelijke crash tijdens een Belgische kermiskoers een jaar later, kostte de talentvolle spurter het leven. De GP Fayt-le-Franc, een voorjaarskoers, werd nadien omgedoopt tot de Grand Prix José Samyn.

RENNERS DIE DOOR DOPINGAFFAIRES HUN RITOVERWINNING(EN) ZIJN KWIJTGERAAKT

DATUM	ETAPPE/AFSTAND IN KM	RENNER/ACHTERGROND
21 Juli 09	Martigny - Bourg-Saint-Maurice	159
	Mikel Astarloza (SPA): Pos. dopingtest voor de Tour	
26 Juli 08	Cérilly - St-Amand-Montrond	53
	Stefan Schumacher (DUI): Positieve dopingtest	
14 Juli 08	Pau - Hautacam	156
	Leonardo Piepoli (ITA): Positieve dopingtest	
13 Juli 08	Toulouse - Bagnères-de-Bigorre	224
	Riccardo Riccò (ITA): Positieve dopingtest	
10 Juli 08	Aigurande - Super-Besse	195,5
	Riccardo Riccò (ITA): Positieve dopingtest	
08 Juli 08	Cholet - Cholet	29,5
	Stefan Schumacher (DUI): Positieve dopingtest	
28 Juli 07	Cognac - Angoulème	55,5
	Levi Leipheimer (VS): Dopinggebruik toegegeven	
23 Juli 07	Foix - Loudenvielle	196
	Alexandre Vinokourov (KAZ): Positieve dopingtest	

Lance Armstrong wint de zeventiende etappe van 2004 in Le Grand-Bornand. Andreas Klöden en Jan Ullrich (links van Armstrong) komen als tweede en derde over de streep.

21 Juli 07	Albi - Albi	54
	Alexandre Vinokourov (KAZ): Positieve dopingtest	
20 Juli 06	Saint-Jean-de-Maurienne - Morzine	200,5
	Floyd Landis (VS): Positieve dopingtest	
23 Juli 05	Saint-Etienne - Saint-Etienne	55,5
	Lance Armstrong (VS): Dopingbekentenis	
17 Juli 05	Lézat-sur-Lèze - Pla d'Adet	205,5
	George Hincapie (VS): Dopingbekentenis	
02 Juli 05	Fromentine - Noirmoutier-en-l'Île	19
	David Zabriskie (VS): Dopingbekentenis	
24 Juli 04	Besançon - Besançon	55,0
	Lance Armstrong (VS): Dopingvervolging	
22 Juli 04	Le Bourg-d'Oisans - Le Grand-Bornand	204,5
	Lance Armstrong (VS): Dopingvervolging	
21 Juli 04	Le Bourg-d'Oisans - Alpe d'Huez	15,5
	Lance Armstrong (VS): Dopingvervolging	
20 Juli 04	Valréas - Côte 2000	180,5
	Lance Armstrong (VS): Dopingvervolging	
17 Juli 04	Lannemezan - Plateau de Beille	205,5
	Lance Armstrong (VS): Dopingvervolging	
21 Juli 03	Bagnères-de-Bigorre - Luz-Ardiden	159,5
	Lance Armstrong (VS): Dopingvervolging	
27 Juli 02	Regnié-Durette - Mâcon	50,0
	Lance Armstrong (VS): Dopingvervolging	
19 Juli 02	Lannemezan - Plateau de Beille	199,5
	Lance Armstrong (VS): Dopingvervolging	
18 Juli 02	Pau - La Mongie	158,0
	Lance Armstrong (VS): Dopingvervolging	
06 Juli 02	Luxembourg - Luxembourg	7,0
	Lance Armstrong (VS): Dopingvervolging	

27 Juli 01	Montluçon - Saint-Amand-Montrond	61,0
	Lance Armstrong (VS): Dopingvervolging	
21 Juli 01	Foix - Pla d'Adet	194,0
	Lance Armstrong (VS): Dopingvervolging	
18 Juli 01	Grenoble - Chamrousse	32,0
	Lance Armstrong (VS): Dopingvervolging	
17 Juli 01	Aix-les-Bains - Alpe d'Huez	209,0
	Lance Armstrong (VS): Dopingvervolging	
21 Juli 00	Freiburg - Mulhouse	58,5
	Lance Armstrong (VS): Dopingvervolging	
24 Juli 99	Futuroscope - Futuroscope	57,0
	Lance Armstrong (VS): Dopingvervolging	
13 Juli 99	Le Grand-Bornand - Sestriere	213,5
	Lance Armstrong (VS): Dopingvervolging	
11 Juli 99	Metz - Metz	56,5
	Lance Armstrong (VS): Dopingvervolging	
03 Juli 99	Le Puy-du-Fou - Le Puy-du-Fou	6,8
	Lance Armstrong (VS): Dopingvervolging	
07 Juli 87	Epinal - Troyes	211
	Guido Bontempi (ITA): Positieve dopingtest	
16 Juli 78	Saint-Etienne - L'Alpe-d'Huez	240,5
	Michel Pollentier (BEL): Fraude bij dopingtest	
20 Juli 77	Voiron - Saint-Etienne	199,5
	Joaquim Agostinho (POR): Positieve dopingtest	
	Antonio Menendez (SPA): Positieve dopingtest*	
17 Juli 77	Morzine - Avoriaz	14
	Joop Zoetemelk (NED): Positieve dopingtest	
09 Juli 76	Bourg-Madame - Saint-Gaudens	188
	Régis Ovion (FRA): Positieve dopingtest	

* = eindigde tweede, maar werd ook gediskwalificeerd

1971

Jean-Claude Daunat: meer dan droog brood

Als coureur had Jean-Claude Daunat de grootste moeite om rond te komen. Met het fietsen was amper meer dan droog brood te verdienen voor hem. Welgeteld zeven criteriumzeges staan op zijn erelijst. Daunat was dan ook een van die nagenoeg naamlozen in het Tourpeloton: 46e in 1971, als knecht van Joaquim Agostinho bij Hoover-De Gribaldy. Zijn beste dagklassering dat jaar: 28e, in (een door Gerben Karstens gewonnen) ritje van Bazel naar Freiburg im Breisgau.
Een jaar later was hij er – ongetwijfeld vol goede moed – opnieuw bij, als lid van de Gitane-ploeg. Destijds een team vol naamlozen, zoals hijzelf. Weer haalde hij de eindstreep, nu als 72e. Maar zijn beste resultaat in een etappe was zo mogelijk nog nietszeggender: 50e in de zevende etappe, van Bayonne naar Pau.
Toch bracht het wielrennen hem uiteindelijk grote rijkdom.
Anno nu kent de hele volgerskaravaan van de Tour namelijk Daunat, al is men er waarschijnlijk amper bewust van dat 'Daunat' een ex-renner is. Jagend van start tot finish kiezen journalisten, verzorgers en parcoursbouwers na het tanken steevast zo'n handig pakketje met belegde sandwiches uit het koelvak. Weliswaar niet het allerlekkerste, maar toch zeker het allermakkelijkste voor onderweg. Daunat is op dat terrein met een dagelijkse productie van meer dan 200.000

sandwiches marktleider, zeker in Frankrijk. De beden-
ker ervan? Juist: Jean Claude.
In 1970 al legde hij de basis voor het bedrijf. Onderweg
van koers naar koers ontdekte Daunat dat het maar
knap lastig was om makkelijk een broodje te scoren. De
zakenman-in-rennerskloffie zette daarom een netwerk
op, plaatste koelkasten bij benzinestations en begon
broodjes te
leveren. Het
fietsen werd
alras meer en
meer bijzaak.
Vandaar
dat hij zich
nooit om zijn
uitslagen druk
hoefde te
maken.

équipe de course

BICYCLETTES ▮▮ SPORT - SANTÉ

CYCLES gitane

Jean Claude
DAUNAT

Kies de juiste route

Streep de foute antwoorden weg, of kies de juiste optie, dat kan natuurlijk ook.

--- **1974** ---

Henk Poppe kende een korte wielerloopbaan, maar heeft wel een etappe op zak. In 1974 klopte hij de verzamelde sprintelite op een winderige boulevard in Boulogne-sur-Mer | Duinkerken | Plymouth. Van de echte specialisten kon Jacques Esclassan | Patrick Sercu | Gerben Karstens nog het dichtst in de buurt komen van de renner van BIC | Frisol | KAS.

--- **1975** ---

Dit jaar werd voor het eerst de witte trui geïntroduceerd, een tricot voor de beste tussensprinter | de beste jongere | de hoogst geklasseerde niet-Europeaan. Het klassement werd gewonnen door een Italiaan: Felice Gimondi | Francesco Moser | Giuseppe Saronni. Hij bleek een groot tijdrijder, won de proloog in Brussel | Charleroi | Luik en droeg direct een kleine week het geel. Later was hij ook nog de beste in Angoulême. In het eindklassement werd de 24-jarige Italiaan zevende | negende | vijfde. Opmerkelijk genoeg reed hij daarna, ondanks zijn sterke debuut, geen enkele Tour meer.

QUIZVRAGEN TOUR NA WO II - 1980

❶ In de veertiende etappe van de eerste naoorlogse Tour in 1947 vond de langste succesvolle solo-ontsnapping in de

Tourgeschiedenis plaats. Welke Fransman won deze etappe
na zijn solovlucht van 253 kilometer?

- -

❷ Op welke berg werd in 1949 het monument geplaatst ter
ere van oud-directeur Henri Desgrange?

- -

❸ In 1954 vertrok de Tour de France voor het eerst van
buiten de Franse grenzen, vanuit Amsterdam. Wat was de
finishplaats na de eerste etappe die in Amsterdam vertrok?

- -

❹ Welke Tourwinnaar uit de jaren vijftig kwam in 1964 om
het leven bij een verkeersongeval?

- -

❺ Jan Janssen maakte zijn debuut in de Tour de France van
1963 en won direct de zevende etappe. In totaal reden er
vier Nederlanders in deze Tour. Wie waren de overige drie?

- -

❻ In welk jaar debuteerde Joop Zoetemelk met een tweede
plaats in het eindklassement in de Tour de France?

- -

❼ In welk jaar boekte Eddy Merckx de eerste van zijn vijf
Tourzeges?

- -

❽ Welke Belg viel net naast het podium en eindigde op een
vierde plaats in de Tour van 1970?

- -

❾ Welke Nederlander eindigde als 78e in de Tour de France
van 1976 en verdiende daarmee de Rode Lantaarn?

- -

❿ Waardoor kwam de 55-jarige Fransman Nello Breton in
het nieuws tijdens de Tour van 1975?

GEEN JOUR ZONDER TOUR

TOUR DE FRANCE

1980-2000

1980

TI/Raleigh: de list waar Zoetemelk niets van wist

Wie TI/Raleigh zegt, zegt tijdrijden. Ploegentijdritten welteverstaan. Jarenlang was de formatie, en haar opvolger Panasonic, onklopbaar op dit specifieke onderdeel van de wielersport. Peter Post had er een specialiteit van gemaakt, het tekende de kracht van het collectief. Een prettige bijkomstigheid: in de jaren tachtig en negentig maakte de chrono voor ploegen steevast onderdeel uit van het rittenschema. In de Tour van 1980, die uiteindelijk Joop Zoetemelk als eindwinnaar kende, waren er zelfs twee.

De eerste ploegentijdrit, in Frankfurt, staat velen nog in het geheugen gegrift. Het was de dag dat Bert Pronk er niet alleen af werd gereden, maar ook nog eens te laat binnen kwam. Geëlimineerd door zijn eigen ploegmaten. 'Nooit geweten dat je in vijftig kilometer zoveel tijd kon verliezen. Hadden we maar gewacht', was jaren later in de documentaire De Posttrein, van Mart Dominicus, het credo van de coureurs. Ze baalden dat Bertje niet mee had kunnen delen in de premies. Immers, met liefst elf dagsuccessen, de Tourzege van Zoetemelk, en een lucratieve criteriumserie, was er voldoende te verdelen geweest.

Toch is er, bleek jaren later, over de tweede ploegentijdrit, tussen Compiègne en Beavais, veel meer te zeggen. Daar werd alvast een voorschot genomen op de Tourwinst van Zoetemelk, hoewel de latere winnaar zelf even het gevoel had dat zijn ploegmakkers hem wilden besodemieteren.

Voor de tweede chrono werd, beseffend dat niet nogmaals een zwaar verlies in de manschappen kon worden geleden, een plan gesmeed. Raas en Knetemann masseerden hun overige teammaten verbaal, Zoetemelk en Post werden onwetend gehouden. 'Die twee reden toch al hun eigen Tour', aldus Leo van Vliet later.
Jan Raas had met Knetemann een plannetje uitgedacht. Raas: 'Er kwam vlot een klim. We moesten rustig vertrekken, anders had het ons zeker drie man gekost. Zoetemelk hadden we dat echter niet verteld.' Ook Post wist het niet. 'Die had het niet goed gevonden, volgens hem kon je nooit rustig aan doen.' Zoetemelk werd echter na het eerste tussenpunt zenuwachtig, hoorde van de flinke achterstand. Hij vermoedde dat zijn ploegmaten hem een kunstje wilden flikken en consulteerde Post. Die bleek er dus toch niet altijd greep op te hebben. Raas en Knetemann hadden het echter goed gezien. De formatie bleef intact en op de streep werd alsnog de winst gepakt. Paul Wellens: 'Het leek zo simpel, maar het was een tactisch meesterstuk.'
Post zelf eiste daar later ook een deel van op. In De Tour van '80, van Mart Smeets, zei Post: 'Als ik het me goed herinner hadden de we de afspraak gemaakt niet te hard van start te gaan. Ik heb op een gegeven moment, ik denk bij 50 kilometer, lang en hard op de claxon van de wagen gedrukt. Dat was het teken dat we zouden versnellen.'
Als ik het me goed herinner...

De gele trui van
Joop Zoetemelk uit 1980

QUIZVRAGEN TOUR 1980

❶ Weinigen riepen al in de startplaats van deze Tour dat
Joop Zoetemelk eindelijk zijn slag zou slaan. Waar begon de
ronde in 1980, en welke negen ploegmaten vergezelden Joop?

---

❷ Wat overkwam Bert Pronk al vroeg in de wedstrijd?

---

❸ Dat Hennie Kuiper in Parijs als tweede aantikte, weet de
gemiddelde wielerfan vast nog wel. Maar hoeveel mannen
uit de top tien van 1980 zijn er nog meer aan het brein te
ontfutselen?

---

❹ Hoewel de Tour een succesverhaal zonder weerga werd
voor de ploeg van Raleigh, was er toch veel muiterij onder
de renners. Zelfs de brave Bert Oosterbosch deed van zich
spreken. Hoe? [A] Door doodleuk een dag in het shirt van
zijn favoriete voetbalclub van start te gaan [B] door op weg
naar de start van een etappe een halve fles wijn soldaat te
maken [C] door op de rustdag op de vuist te gaan met een
verzorger [D] door 's avonds aan tafel patat te bestellen en
erbij te zeggen dat hij zou vertrekken, als hij de frites niet
mocht opeten.

---

❺ Wie waren de eerste Nederlander en Belg die een rit
wonnen, en welke coureur sloot die reeks af namens
Nederland en België?

---

❻ Hinault, Knetemann,............, Pevenage, Hinault en
Zoetemelk droegen het geel tussen de startplaats en
eindstation Parijs. Op de stippeltjes hoort nog een naam van
een Fransman die het geel welgeteld één dag mocht dragen.
Wie was deze ploegmaat van Hinault?

Het tenue van
de succesploeg
TI-Raleigh

❼ De lange Brabander kwam uit het zadel, schakelde en verloor de macht over het stuur. Hij bleef overeind, maar dat gold niet voor de achter hem rijdende Zoetemelk. De man in het geel klauterde op en zette de achtervolging in op de rest. Zo redde hij zijn klassement. Op weg naar welk skioord bracht Johan van der Velde zijn kopman ten val? Welke Belg zegevierde eigenlijk?

----

❽ In de formatie Boston-Amis du Tour figureerde een Hollandse jongen die Parijs als nummer 69 bereikte. Wat was de naam van deze Brabantse Tourdebutant?

----

❾ Parijs was héél ver weg. Van Agt zoende, Kale Kees babbelde. En met vodka bezong hij Joops victorie. Wie is in deze puzzel verpakt?

----

❿ 1980 is het geboortejaar van de beste voetballer ter wereld in 2005, van de Tourwinnaar in 2012 en van twee vrouwelijke tennissterren uit Zwitserland en de VS die samen twaalf grandslamtitels in het enkelspel hebben behaald. Om welke sporters gaat het?

QUIZVRAGEN TOUR 1981

❶ Vijf keer twee broers in de Tour, dat was uniek. Ze kwamen uit Nederland, Frankrijk, Spanje en België. De achternamen: Van Houwelingen, Planckaert, Lejarreta, Hosotte en Wellens. Geef de juiste voornamen van de broederparen, en van het Wellens-trio!

----

❷Wat maakte het optreden van de broers Van Houwelingen helemaal bijzonder? [A] Ze staakten de strijd op hetzelfde moment [B] ze waren een tweeling [C] ze eindigden in de proloog op de honderdste van een seconde in dezelfde tijd [D] ze kwamen hun hele leven voor dezelfde ploeg uit.

----

❸Andersom, dat scheelt maar een letter. Geel dat de wereld over gaat, springend als Skippy. Ja, op wie slaat dit?

----

❹Welke van de volgende vier renners eindigde afgetekend als laatste in deze Tour?
[A] Ruiz Cabestany [B] De Roo [C] Cueli [D] Tesnière?

----

❺Aan het vertrek van deze Ronde van Frankrijk stonden drie coureurs die de WK's veldrijden tussen 1976 en 1984 beheersten. Wie vormden dit trio?

----

❻In 1981 reed hij zijn derde en laatste Tour. In 2013 was hij voor de laatste keer de wedstrijdleider van de ronde. Wie is deze markante man die zich het liefst achter de schermen beweegt?

----

❼1. Hinault, 2. Klein klimgeitje, 3. Een lange slungel-achtige Fransman, 4. Zoetemelk op [A] 23.02 [B] 17.04 [C] 18.21, 5. Mooischrijver uit Limburg, 6. De beoogde kopman van Peugeot in deze Tour, 7. Ex-winnaar van de Giro uit België, 8. Uit het land van Ikea, 9. Een Waal die twaalf keer deelnam maar nooit een rit won, 10. Veel werklust, net te weinig klasse om echt mee te spelen,

RENNERS
MET DE MEESTE
TOURKILOMETERS

Joop Zoetemelk was 16 keer present in de Tour de France, maar is daarmee geen recordhouder. George Hincapie en Stuart O'Grady stonden namelijk 17 keer aan de start. In tegenstelling tot Zoetemelk die alle edities heeft uitgereden, moesten O'Grady twee keer en Hincapie één keer opgeven. Daarnaast werd Hincapie vanwege dopinggebruik uiteindelijk drie keer uit de uitslag geschrapt. Tevens was de totale afstand van de Tour de France vroeger langer dan vandaag de dag. Daarom heeft Joop Zoetemelk met 63.021 km de meeste Tourkilometers ooit in zijn benen.

JOOP ZOETEMELK – 63.021 KM

ANDRÉ DARRIGADE
60.574 KM

LUCIEN VAN IMPE
59.612 KM

GEORGE HINCAPIE
59.496 KM

RAYMOND POULIDOR
56.525 KM

GUY NULENS
55.475 KM

STUART O'GRADY
55.363 KM

VIATCHESLAV EKIMOV
54.671 KM

JENS VOIGT
52.262 KM

JEAN DOTTO
52.024 KM

deze Ozzie. Geef de juiste antwoorden maar, te beginnen met de tweede aanwijzing.

---

❽ 'Die zege heeft mijn leven veranderd. Ik vertrok als een onbekende boerenkinkel naar de Tour en werd na afloop met paard en koets binnengehaald.' Was getekend?

---

❾ Nog één keer ging Raleigh met Joop naar de ronde. Wie zou zijn opvolger-kopman worden in 1982?

---

❿ En naar welk team zou Zoetemelk vertrekken na 1981?

QUIZVRAGEN TOUR 1982

❶ De toeschouwers die in Basel bij de Tourstart van 1982 opdraafden, kregen een primeur voorgeschoteld. Nooit deden er zoveel renners mee als in dit jaar. Om welk aantal ging het toen? [A] 136 [B] 155 [C] 160 [D] 169

---

❷ Vier Nederlanders in de top tien van het eindklassement: daar moet je anno 2014 mee aankomen. Wie vormden dat kwartet, en in welke volgorde (plaats niet belangrijk)?

---

❸ De Tour kende in deze jaren tal van hilarische subklasse-menten, zoals de Super Fairplay-prijs, de Fairplay-prijs, Beste tijdrijder, Vriendelijkste coureur, Beste ploegmaat, Laatste kilometer. Welke naam hoorde bij welke prijs? Hennie Kuiper, Bernard Hinault, Eugène Urbany, Jan van Houwelingen, Harald Maier, Marc Gomez.

---

❹Er reden een Noor (Capri Sonne), een Ier (Sem-France Loire), een Engelsman (La Redoute), een Australiër (Peugeot), een Amerikaan (Sem-France Loire) en een Zweed (Wolbèr-Spidel) mee in deze Ronde van Frankrijk. Welk zestal was dat?

----

❺Het geluid van koebellen weerkaatste tegen de bergwand en rolde zo terug het dal in. Alpen of Pyreneeën, het maakte niets uit. Dergelijke vlooien zag het volk zelden. En de buitenlandse toeristen waren bijna sprakeloos. 'Who's that guy who can beat the giants?' Over wie gaat deze crypto?

----

❻De Franse ploegen voerden na drie weken het teamklassement aan. Coop-Mercier won, Renault werd tweede en de derde plaats was voor Peugeot. Hun ploegbazen waren bekende figuren. Geef bij de voornamen de achternaam: Jean-Pierre, Cyrille en Maurice.

----

❼De gele trui werd in de ronde voornamelijk gedragen door Hinault en Anderson. Een dag trok een andere coureur het leiderstricot aan. Deze renner uit Hoogstraten was zestien jaar prof, tussen 1974 en 1990, diende lang aan de zijde van Jan Raas en volbracht de Tour in alle tien keren dat hij deelnam. Hij won vier ritten (inclusief een ploegentijdrit). Wie was deze Belg?

----

❽Wie op de Wikipedia-pagina van Tourrenner Peter Zeijerveld (opgave in 1982 door een nierbekkenontsteking) kijkt, constateert dat hij vooral uitblonk in een andere tak van sport. Welke?

----

⑨ Bernard Hinault was onbetwist de beste van de ronde en realiseerde zo de dubbel Giro-Tour. In de voetsporen van welke grote drie renners trad hij?

⑩ De Italiaanse formatie verscheen met een illustere kopman aan het vertrek, die het jaar voordien zowel de Giro als de Ronde van Spanje naar zijn hand had gezet. Op zijn Tourrecord stond echter een aantekening van succes: de bergtrui in 1979 en de zesde plaats in het klassement. Maar de Tour van 1982 werd opnieuw een sof voor...?

Kies de juiste route

Streep de foute antwoorden weg, of kies de juiste optie, dat kan natuurlijk ook.

1983

Het publiek smult van helden, vooral wanneer die door de pechduivel in de wielen worden gereden. Vrijwel geen mens weet meer van de onbekende Fransman Jerôme Simon | Pascal Simon | Jules Simon die na de elfde etappe plotseling het geel draagt. De wereld ligt aan zijn voeten, maar dat duurt nog geen dag. Want Simon, lid van de Peugeot | Renault | Wolber formatie, belandt hard op het asfalt en loopt een gebroken sleutelbeen | zware kniekwetsuur | scheur in het schouderblad op. Hij wil echter niet van opgeven weten en vervolgt zwetend en steunend de ongelijke strijd. In de rit naar Puy de Dôme | Les Deux Alpes | l'Alpe d'Huez is de droom voorbij: capitulatie.

QUIZVRAGEN TOUR 1983

❶ 'Student' Laurent Fignon werd de held van de natie, door als debutant de Tour op zijn naam te brengen. Maar voordat het zover was, klom een landgenoot op de grote bühne. Van etappe tien tot en met etappe zeventien maakte hij zich onsterfelijk door geel te veroveren en met een gebroken schouder verder te rijden. Zijn naam? Zijn ploeg?

N PREMIER TOUR EN JAUNE
PAR
LAURENT
FIGNON
OIR DU
LISME
DU TOUR 83

Held van de natie
Laurent Fignon

----

❷ Christa kan dat onmogelijk navertellen. Ernst denkt dat Bobbie het evenmin weet, maar de Italianen van Metauromobil-Pinarello waren er wat blij mee. Over wie gaat deze crypto?

----

❸ Peter Winnen eindigde op het podium, naast Fignon en een Spaanse klimmer die Pedro Delgado en Julian Gorospe als ploegmaten had. Hoe heette deze Spanjool?

----

❹ Raleigh stuurde negen Nederlanders naar de Tour en een Vlaming. Deze Belg uit Brasschaat was een knecht pur sang die pas in zijn nadagen een paar prijsjes reed: De GP Wielerrevue en de Schaal Sels. Hij kwam z'n hele carrière uit voor Nederlandse teams: Raleigh, Panasonic, TVM en Buckler. Wat is zijn naam?

----

❺Een mooie spurt bezorgde Winnen de dagzege op l'Alpe d'Huez. Hij gaf een Fransman het nakijken die tegenwoordig teammanager is en destijds blikvanger was van de bescheiden ploeg Wolbèr. Wie was deze renner?

----

❻1983 stond in het teken van de Colombiaanse invasie. Nog geen Herrera of Parra, maar Edgar Corredor hield zich redelijk staande in het Europese geweld. Waar eindigde hij?
[A] 5e [B] tussen plaats 6 en 10
[C] tussen 10 en 15 [D] tussen de 16 en 25

----

❼Joop Zoetemelk: slechts 23e in het algemeen klassement. Ongekend matig van de man die áltijd tweede werd. Wat was er aan de hand? [A] Een joekel van een steenpuist werd hem fataal [B] drie valpartijen achter elkaar veranderden Joop in een wrak [C] dopingperikelen kostten hem tien minuten straftijd en daarmee zakte de moed hem in de schoenen [D] een ongekende inzinking op weg naar l'Alpe d'Huez betekende het einde van zijn klassementsambities.

----

❽De prestatie van Lucien Van Impe was nog zo slecht niet: vierde in het eindklassement en weer bergkoning in de ronde. En dat terwijl hij halverwege de ronde amper twee ploegmakkers over had. Voor welke ploeg fietste hij in 1983, en de hoeveelste keer was het dat hij tot beste klimmer werd gekroond?

----

❾Tussen Roquefort-sur-Soulzon en Aurillac, rit dertien, ontbond een Nederlandse 'viking' zijn duivels. Hij won zijn derde etappe. Drie dagen later werd hem een vierde zege ontnomen, wegens een 'klein beetje' van de rechte lijn afwijken in de spurt. Wie was dit?

----

⑩ Zuid-Europa. Torrès Védras. Onverwoestbaar. Op dertien deelnames acht keer in de top tien. Maar in 1983 als 41-jarige te oud om nog echt mee te strijden. Wie was deze icoon?

Kies de juiste route

Streep de foute antwoorden weg, of kies de juiste optie, dat kan natuurlijk ook.

1984

Feitelijk was Luis 'Lucho' Herrera nog amateur | junior | neo-prof toen hij in 1984 naam maakte in zijn eerste Tour de France. De Argentijn | Colombiaan | Mexicaan was de eerste die namens zijn land een rit won. Bovendien was het ook nog eens op een fraaie locatie: de Champs-Élysées | Alpe d'Huez | in Bordeaux. Het jaar erop won Herrera het bergklassement. Ook in 1987 lukte hem dat nog eens. Herrera had een beroemde bijnaam: de Kleine Tuinman | de Condor van de Andes | de Berggeit.

QUIZVRAGEN TOUR 1984

❶ Het was dertig jaar geleden niet de Tour van onze tv-coryfee Mart Smeets. Waarom niet? [A] Nog voor de Tourkaravaan vertrok uit Montreuil lag de commentator in een ziekenhuis met een blindedarmontsteking [B] een interview

met Vrij Nederland was niet helemaal goed gevallen bij de
NOS-leiding en die wilde hem ontslaan [C] na de eerste
rustdag verruïneerde een verkoudheid de stem van Smeets
[D] tot drie keer toe noemde Mart de verkeerde naam als
winnaar van een massasprint.

----

❷Er waren drie gele truien voor twee Nederlandse renners.
Om welk duo gaat het?

----

❸11e in 1981, 31e in 1982, 74e in 1984 en de editie erop
al naar huis na de proloog. Dat is in het kort de Tour-cv van
een magnifieke coureur die ook nog eens heel mooi op zijn
fiets zat. Een Vlaming die zijn aspiraties in deze wedstrijd
nooit kon waarmaken. Wie is dit?

Laurent Fignon, alias Le Professeur, winnaar van de Tour in 1983 en 1984.

④ Lucho Herrera blijft onlosmakelijk verbonden met de Tour. Waarom? Wat was zijn bijnaam?

----

⑤ Laurent Fignon trok vier ritten naar zich toe.
Welke renner van de volgende drie pakte er drie mee?
[A] Bernard Hinault [B] Eric Vanderaerden [C] Frank Hoste

----

⑥ Carrera-Inoxpran had twee vedetten meegenomen naar Frankrijk. Beiden faalden en stapten voortijdig af. Ze wonnen allebei ooit de Giro. Welke tandem wordt hier bedoeld?
[A] Chiappucci en Visentini [B] Visentini en Battaglin
[C] Saronni en Battaglin [D] Saronni en Visentini

----

⑦ Wegkapitein? Nee, dat was te hoog gegrepen. Maar om generaal te worden, ben je nooit te oud. Het leven is soms net een Lotto. Haal de persoon uit deze crypto.

----

⑧ Een van de ritwinnaars in de Tour van 1984 is Marc Madiot. Zijn broer Yvon reed dat jaar bij hem in de ploeg. Wie is de oudste van de twee en wie behaalde als eerste de nationale titel op de weg bij de profs?

----

⑨ Slechts één etappe werd een prooi voor een Nederlander. Wie hield de eer hoog, overigens in Bordeaux?

----

⑩ Nog even terug naar Smeets. Die werd in ere hersteld en bleef de NOS trouw. Maar met welke omroep zou hij volgens de berichten al in onderhandeling zijn geweest?
[A] VARA [B] TROS [C] AVRO [D] VPRO

Duivelse Matthijs

Met een soort God-zegene-de-greep-actie ontfermde ploegleider Berten De Kimpe zich in de winter van 1984 over de Meetjeslander Rudy Matthijs. Aardig rennertje, behept met een leuke sprint, maar wat kon je ervan verwachten? Goed, de Eekloonaar had in 1983 out of the blue na een ontsnapping Kim Andersen een loer gedraaid in een Touretappe met finish in Roubaix. Dat moest een toevalstreffer zijn. Wie niet waagt, die niet wint, moest de kogelronde sportdirecteur hebben gedacht bij het samenstellen van de Tourselectie van Hitachi. En hij ruimde een plek in voor de snelle Matthijs.

Wat niemand voor mogelijk had gehouden, voltrok zich gedurende drie weken. Matthijs veegde gewoon de straat schoon met zijn verbluffende eindsprints, tot drie keer toe. Het begon meteen goed in de eerste etappe: 1. Matthijs, 2. Vanderaerden, 3. Kelly, 4. Bontempi. De wielerwereld raakte zo ongeveer in een shock, om 24 uur later opnieuw te worden geconfronteerd met de onvermoede kwaliteiten van het Vlaamse duveltje. Kelly, Vanderaerden en Castaing hadden het nakijken. Zo, dat was nog eens een entree door de grote poort. Net toen men zich wilde gaan verdiepen in de achtergrond van de relatief onbekende pion, dook hij weer onder in de anonimiteit van het Tourpeloton. Tussensprints waren niet aan Matthijs besteed, en in het dagelijkse strijdgewoel om de ritzeges viel zijn naam zelden meer te ontwaren in de bovenste regionen van de uitslag.

Geen wonder dat hij ook door afwezigheid schitterde in de top-25 van het puntenklassement. Tot de koninklijke spurt zich aandiende op de slotdag. Plotseling was hij daar weer, kennelijk geïnspireerd door de grootsheid van de Champs-Élysées. Voor de derde keer doceerde Matthijs de machtige kanonnen het vak sprinten. Kelly, Castaing, Bontempi en Vanderaerden reden mee en keken ernaar...

De trilogie betekende geenszins de definitieve doorbraak van Matthijs. Een trainingsongeval het jaar erop verknalde alle aspiraties. Rudy modderde nog een jaar of drie verder, zegevierde alleen nog in een kermiskoers om de hoek en hield het metier na 1988 voor gezien.

QUIZVRAGEN TOUR 1985

❶In de jaren tachtig was er een veel striktere scheiding tussen ploegleiders en hun assistenten, zo ook in 1985. Cyrille Guimard, Paul Koechli, José-Miguel Echavarri, Peter Post, Jan Raas, Walter Godefroot en Raphaël Geminiani stonden genoteerd als dé ploegbaas van hun team in de Tour de France. Voeg de juiste assistent eraan toe: Jules De Wever, Bernard Thevenet, Eusebio Unzuè, Hilaire Van Der Schueren, Maurice Le Guilloux, Bernard Quilfen, Patrick Lefevere.

- -

❷Na rit één, twee en drie droeg een renner die zich tegenwoordig op Twitter afficheert als een 'wereldverbeteraar' de bollentrui. Dat shirt was hij vervolgens kwijt aan een ploegmaat, in 2014 de grote man achter het WK veldrijden. Om welke twee coureurs gaat het hier?

- -

❸Fons De Wolf kwam te laat aan de start van de proloog en kon op de openingsdag al naar huis. Het duurde in 1985 tot de vijftiende etappe voordat er weer een Nederlander en twee Belgen de strijd staakten: Hennie Kuiper, Dirk Demol en Nico Emonds. Tussen twee van de drie bestaan er twee overeenkomsten. Welke?

----

❹Er zou van de twintig gestarte Nederlanders nog een renner Parijs niet zien. Hij reed z'n eerste Tour, zou later nog het geel dragen en werd in Milaan-Sanremo van dit jaar 'getrakteerd' op een enorme domper. Deze renner was...?

----

❺Joop Zoetemelk en Peter Winnen waren de beste Nederlanders in de eindrangschikking, namens de Belgen waren dat Eddy Schepers en Claude Criquielion. Hun klasseringen: 12, 14, 15, 18. Koppel het juiste getal aan de juiste renner.

----

❻Rudy Matthijs schitterde door drie ritten te winnen, maar er onderscheidde zich nog een Belgische spurter die er twee won en drie dagen in het geel rondreed. Zijn naam?

----

❼Gerrit, Henri, Maarten en Johan zorgden voor een kwartet Nederlandse dagzeges. Hoe heten ze van achteren?

----

❽Groen, maar sterk als een boer. Is still alive, maar leefde al veertien dagen in de hemel. Of als God in Frankrijk. Wie zit in deze omschrijving verborgen?

----

❾Veteraan Lucien Van Impe voerde de club van Santini-Selle Italia aan. Wat was het bijzondere aspect aan dit team?

Peter Winnen is in de ronde van 1983 de tweede Nederlander met een de vijftiende plek in het eindklassement. Alleen Joop Zoetemelk is beter, hij eindigt als twaalfde.

⑩Reynolds, 21 jaar, rugnummer 47, Tourdebutant, opgave in rit vier. Op wie slaan deze feiten?

Kies de juiste route

Streep de foute antwoorden weg, of kies de juiste optie, dat kan natuurlijk ook.

1986

Het was een belofte die hij toch eigenlijk maar niet na wilde komen. Bij het behalen van zijn vijfde Tourzege, in 1985, had **Bernard Hinault | Jacques Anquetil | Miguel Indurain** hulp gekregen van een ploegmaat die hem met gemak naar de kroon had kunnen steken. **Laurent Fignon | Greg LeMond | Niki Rüttimann** kreeg evenwel de toezegging dat hij het jaar erop de kopman zou zijn. Het bleek niet zo eenvoudig. In de **Pyreneeën | Alpen | Elzas** bleek de kopman nog vol gif te zitten. In Pau zette hij zijn ploeggenoot op vijf minuten. Die knokte echter terug. Op l'Alpe d'Huez werd de vrede getekend. Ze kwamen **in elkaars wiel | kussend | hand in hand** over de streep en de vijfvoudig winnaar gaf zijn jacht op een zesde zege op.

QUIZVRAGEN TOUR 1986

❶In de etappe van Évreux naar Villers-sur-Mer veroverde **Johan van der Velde** de ritzege én de gele trui. Hij moest afrekenen met een tamelijk onbekende Fransman uit de ploeg van KAS. Wie van de vier? [A] Joel Pelier [B] Patrice Esnault [C] Eric Guyot [D] Frédéric Vichot

❷'n Best veelzijdige buffel. 1986 was zeker een goede tijd, overal in Europa. Welke renner kun je hierin ontdekken?

- -

❸Zet deze gele-truidragers in de goede chronologische volgorde: Greg LeMond, Alex Stieda, Jörgen Vagn Pedersen, Johan van der Velde, Dominique Gaigne, Bernard Hinault en Thierry Marie (2x).

- -

❹Dat PDM in de ploegentijdrit op een tiende plaats eindigde, met ruim drie minuten achterstand op het winnende Système U, was een fikse tegenvaller. Wat was mede de oorzaak? [A] De ploeg werd een verkeerde kant op gestuurd [B] het team verloor onderweg drie jonkies [C] een valpartij van kopman Pedro Delgado had funeste gevolgen [D] het regende lekke banden.

- -

❺PDM dook voor het eerst op in het profpeloton in 1986. Waar stonden de letters voor?

- -

❻Twee Nederlandse toppers van nu konden er in 1986 geen weet van hebben dat er door LeMond geschiedenis werd geschreven. Beiden in dit jaar geboren, de een wordt wel de 'Condor van Varsseveld' genoemd, terwijl de ander leerde 'klimmen' in de Groningse polders. Wie worden bedoeld?

- -

❼Rit achttien, Briançon-Alpe d'Huez, was niet echt een Hollandse gloriedag. De eerste Nederlander die boven arriveerde, had dik negen minuten achterstand. En het was niet Joop Zoetemelk. Wie dan wel?

- -

Greg LeMond Tourwinnaar 1986.

⑧ Er gaf in deze etappe een olympisch kampioen schaatsen op, een latere Tourwinnaar en een Nederlandse knecht van een vijfvoudig winnaar van de ronde? Welke drie namen horen hierbij?

----

⑨ Twee Zwitsers behoorden tot de top tien in Parijs, ongekende luxe. Eén op plek drie, de ander op zeven. Zijn hun namen je bekend?

----

⑩ Hoe oud was Greg LeMond op de dag dat hij zijn eerste Tour won? [A] 24 [B] 25 [C] 26 [D] 27

Johan van der Velde draagt in 1986
twee dagen de gele trui.

1987

Régis Clère: een gegeven auto niet onder de motorkap kijken

Het was lang gemeengoed. Wielrenners in natura betalen. Handig voor de gever vooral, die zo niet alleen
eenvoudig reclame kan maken voor zijn producten, maar
ook bij de belastinginspecteur makkelijker wegkomt met
het weggeven van spullen dan geld. Het moet de gedachte
ook geweest zijn van Peugeot toen het in 1987 alle etappewinnaars in de Tour een 205 in het vooruitzicht stelde.
Een lekker karretje, daar niet van, maar wat moet je
ermee als je in Parijs staat, dacht ook Régis Clère.
Clère werd dat jaar in Millau winnaar van de zestiende
etappe, met bijna een kwartier voorsprong op het peloton. Opmerkelijk overigens, want de dag ervoor was hij
nog buiten de tijd binnengekomen. Vanwege de uitzonderlijke weersomstandigheden had de jury echter met
de hand over het hart gestreken. In Dijon, enkele dagen
later, herhaalde Clère – die ook in 1983 al een Tourrit

won, maar het toen slechts met een geldbedrag moest doen – het kunstje.

In Parijs stond hij dus met twee sleutelbossen. Bovendien had hij er zijn eigen auto vooraf aan de ronde al geparkeerd. Clère, opgegroeid op een boerderij in de Haute-Marne, handelde in het slotweekeinde van de Tour razendsnel, mocht een oproepje op televisie doen. Voor de eerste auto vond hij direct een koper, en de tweede ruilde de Teka-coureur – voor het oog van de camera's – nog te Parijs in voor een tractor. Daar zou hij, had de praktisch ingestelde Clère al geconcludeerd, meer aan hebben op het familielandgoed. Tot zijn dood in 2012, als gevolg van een hartstilstand, was Clère boer. Zoals zijn ouders het vanaf het eerste moment eigenlijk liever hadden gezien.

1987

Affaire de famille

Niemand buiten zijn familie, vrienden en (vage) kennissen, zal de naam nog iets zeggen. Dominique Garde uit Condrieu was een modale renner, dus dat wekt dan ook geen verwondering. Reed gedurende elf seizoenen als prof aan de zijde van Sean Kelly, Laurent Fignon, Stephen Roche, Jean-François Bernard en Charly Mottet. Afgezien van zijn aandeel in de ploegentijdrit die Système U won in 1989, viel er niet veel te vieren voor hem. Hij haalde bidons, gaf regenjacks aan en rammelde vele kilometers aan kop van het peloton, wanneer de ploegleiding hem dat opdroeg.

Dominique
GARDE

DOMINIQUE GARDE
coureur professionnel
EQUIPE DU SYSTEME U
Gitane

Isystème

Jean-Claude
GARDE

KAS MIKO
SKIL
sem

Dominique Garde

Dominique Garde
uit Condrieu

87 La Vie Claire LOOK
TOSHIBA

castorama
castorama

Toch verdient hij hier even aandacht, en dat heeft hij
te danken aan zijn vrouw Marielle. Net zo'n sportieve
madame, ook gek van de fiets en in 1987 – toen manlief
namens Toshiba aan de Ronde van Frankrijk deelnam –
was ze lid van de nationale B-ploeg die de Tour Féminin
reed. Marielle deed haar best, maar meer dan een 52e
plaats (een uur en dertien minuten achter winnares

1987 is het jaar van Stephen Roche. Hier poseert de Ier met de Franse wielerlegende Jeannie Longo.

Jeannie Longo) zat er echt niet in. Dominique evenaarde dat jaar die prestatie bijna, met een 54e positie, op nagenoeg twee uur van Stephen Roche. Wat belangrijker was, of beter, nu is: ze zijn het enige stel dat samen *La Grande Boucle* heeft volbracht.

Kies de juiste route

Streep de foute antwoorden weg, of kies de juiste optie, dat kan natuurlijk ook.

1987

Het was zijn jaar. Niet alleen won de Ier **Stephen Roche | Martin Earley | Sean Kelly** in 1987 de Giro, ook in de Tour de France was hij dat jaar de beste. In een tijdrit naar Dijon, op de voorlaatste dag, reed de Ier de geletruidrager **Jean-François Bernard | Charly Mottet | Pedro Delgado** naar huis. In Dublin kwam hem dat op een heldenontvangst te staan. De stad benoemde hem tot ereburger. Later dat jaar werd hij bovendien ook nog **wereldkampioen | Vuelta-winnaar | winnaar van de Ronde van Lombardije**. In 1991 kende hij een heel wat minder glorieuze Tour. Hij miste, omdat hij naar het toilet was, **de start van de ploegentijdrit | een bergetappe | individuele tijdrit** en kwam te laat binnen.

1987

Via de radio naar het dierenrijk van de Tour

Gelukkig zijn er genoeg heldere geesten die de juwelen van het verleden koesteren en conserveren, zodat
het nageslacht nog volop kan genieten. Zo bestaat er
een website (www.classics100.be) die een prachtige
verzameling geluidsfragmenten heeft gebundeld uit
honderd jaar Tour de France. Elke gebeurtenis, ooit op
de Vlaamse radio uitgezonden, is gekoppeld aan een bij
dat onderwerp passend muzieknummer.
Daardoor schittert de welbekende Hendrik Devos in
dit boek. Een onopvallende krijger die nooit een rit
won of kort wist te eindigen in het klassement, maar
zijn moment in de spotlights dankte aan een vlucht
in het ravijn. Devos, een jongen van Waregem, had in
1987 reeds acht complete Tours meegemaakt. Hij werd
beschouwd als een betrouwbare knecht voor wie de
ronde weinig geheimen meer kende. Hendrik was een
brave, die deed z'n job en overleefde. De koers van 1987
kwam stilaan in een beslissende plooi, toen de karavaan zich voorbereidde op het gevecht in de Pyreneeën.
Bayonne-Pau zou een opmaat zijn voor nóg riskantere
klussen in het hooggebergte. 13 juli, dertiende etappe.
Devos stond niet stil bij dat soort onheilsprofetie. Wat
kon er nou gebeuren?
Smeltend asfalt bijvoorbeeld, op een bochtige afdaling
van een of andere col. Hij had nog gepoogd te remmen,
maar de snelheid lag te hoog en zijn voorganger reed te

kort voor hem. 'Op vier of vijf posities voor me zag ik ze vallen, een renner was weggeslipt op dat zacht geworden wegdek. Ik kwam de bocht door en kon de mannen voor me niet meer ontwijken. In een vloek en een zucht zat ik achterop bij die'en Spanjaard Celestino Prietto. Een fractie later vloog ik over hem heen, ik werd als het ware gekatapulteerd, zo het ravijn in. Wat ik dacht? Wanneer stopt die vlucht nu eens, ik bleef maar vallen. Uiteindelijk remden wat takken me af. Ik besefte wel dat mijn Tour voorbij was. Pure pech. Zou het dan toch waar zijn? Ik ben geboren op de dertiende, het was de dertiende etappe, op de dertiende juli. Wel frappant, hè. Trouwens ook dat ik niets had gebroken', vertelde Devos, die na zijn acrobatische toer nog een keer zou tergkeren in de Tour. En toen deed-ie precies hetzelfde als alle gewone jaren: uitrijden. De 'erelijst' van Hendrik: 31e (1979), 63e (1980), 57e (1981), 88e (1982), 63e (1983), 88e (1984), 58e (1985), 43e (1986), opgave 13e (1987), 113e (1989).

Devos behoorde tot een bijzondere clan, die van de Tourdieren. Door de jaren heen wierpen tientallen coureurs met een dierlijke achternaam zich in de strijd. Behalve Hendrik figureren er nog drie Vossen in het forse leger van gerekruteerde helden. Ze waren geen van allen zulke doordouwers als West-Vlaming Hendrik, getuige hun eenmalige verschijning. Leon Devos, een tweevoudig winnaar van een grote Belgische klassieker (Luik-Bastenaken-Luik in 1919, Ronde van Vlaanderen drie jaar later) bracht het beste resultaat naar huis: als deelnemer namens de tweemansploeg Thomann-Dunlop werd hij als 25e afgevlagd in 1926, het seizoen van de langste Tour aller tijden. Werner Devos, op de startlijst in 1982 in dienst van Sunair-Colnago, moest blij zijn geweest toen hij na drie weken met klassering 125 de majestueuze boog van de Arc de Triomphe ontwaarde. Die slotdag benutte hij om veruit de beste notering binnen te halen: een 31e stek.

Vos nummer vier had een Nederlands paspoort op zak en luisterde naar de voornaam Frans. Een Bossche Bol die bij de amateurs geregeld iedereen op een pak slaag trakteerde. Om in de periode van de Duitse bezetting geen dienstplicht te hoeven vervullen, liet hij zich als professional registreren. Na de oorlog werd hij wederom liefhebber. Koersen ging hem opnieuw zo goed af dat hij in 1950 werd gemonsterd voor de Tourploeg, met daarin onder anderen Gerrit Voorting, Wout Wagtmans en Jef Janssen. Het werd een ongeëvenaard drama voor het zestal dat deels overhoop lag met elkaar en waarin ziekte en andere lichamelijk ongemak onoverkome-lijke hindernissen bleken. Dat gold ook voor Frans, die tijdens de dertiende etappe Perpignan-Nimes door een zonnesteek werd geveld en de Tour vaarwel kon zeggen.

Van Wolven slopen er door de jaren heen ook minstens vijf exemplaren rond in het peloton. Zo hadden we een zeker Henri De Wolf uit Deinze die als voornaamste trofee van een dertien jaar durende carrière de bokaal van de Waalse Pijl (1962) in zijn prijzenkast mocht opbergen. Hij reed de Tour vier keer, tussen 1963 en 1966, met wisselend succes: 33e, opgave rit veertien, 60e en opgave in de negentiende etappe.

De bekendste Wolf heette van voren Fons. De Willebroe-ker kreeg vrij vlot na de start van zijn loopbaan al het

predicaat 'opvolger van Eddy Merckx', een last die de
ranke schouders maar moeilijk konden dragen. Fons'
manier van rijden was een lust voor het oog, zijn palmares bleef er een beetje bij achter, al toverde hij in zijn
eerste profseizoen een geweldige serie overwinningen
uit zijn koersklak in de Ronde van Spanje. Joop Zoetemelk was de eindwinnaar, maar 'schone' Fons maakte
het mooie weer met vijf dagprijzen en de puntentrui.
De Tour? Was een andere piece of cake. De aftrap kon er
prima mee door (elfde), daarna haperde de machine. Van
een 31e plaats in 1982 duikelde hij naar de 74e positie
in 1984 (weliswaar plus een rit) en droop hij het jaar
erna met het schaamrood op de kaken af na de proloog.
De Wolf vergiste zich in zijn starttijd en meldde zich vijf
minuten te laat, om vervolgens onderweg zoveel tijd
meer te verspelen dat hij de limiet overschreed.
Verder fietste Steve De Wolf een volledige ronde (41e
in 1999), deed Dirk De Wolf alle moeite gedurende vijf
Tours boven het maaiveld uit te steken (1986-1992) en
liet Frank De Wolf (102e in 1988 als lid van de ADR-
ploeg) nadien heel weinig sporen achter zich. Tot slot
hield er zich een Franstalige Wolf op in het evenement
van 1929, 1930 en 1931. Georges Laloup kon tevreden
zijn met een 25e plaats bij zijn eerste poging, schoof
een jaar later nog zes plaatsen op naar boven en werd
in '31 geconfronteerd met een tegenvaller – opgave in
rit zes – die meteen het slotakkoord betekende van zijn
Tourhistorie.

De koning aller dieren mag vanzelfsprekend niet ontbreken. Hij was niet zo veelvuldig te ontdekken als de wolf,

maar liet zich zeker opmerken. Gilles Delion brulde
bij tijd en wijle het hardst van de drie leeuwen in de
rondegeschiedenis. Aan zijn debuut in 1990 mankeerde
weinig, want hij koppelde een vijftiende stek in het
algemeen klassement aan de witte trui. Jammer genoeg
voor de Fransman, ook ooit winnaar van de Ronde
van Lombardije, bleek hij het meeste van zijn kruit te
hebben verknald; in 1991 kwam hij nog tot een accep-
tabele 21e positie, tijdens de ronde van 1992 die half
Europa doorkruiste zakte hij terug naar de middenmoot
(58e, maar wel met ritwinst in Valkenburg) en drie
seizoenen later beleefde hij zijn magere zwanenzang:
buiten tijd in de dertiende etappe.

Hagenees Harry van Leeuwen stapte in het kielzog van
generatiegenoot Joop Zoetemelk in 1970 over naar de
beroepscategorie, ongetwijfeld met de bedoeling daar
ook iedereen op regelmatige basis de vernieling in te
trappen, zoals hij gewend was geweest als amateur.
Het lukte niet, op die ene keer na (winst in de Efsteden-
ronde). Waar Joop in de wielerhemel plaatsnam, hing
Harry er maar wat bij. In het shirt van Goudsmit-Hoff
debuteerde hij in 1972 toch in de Tour. Maar de brildra-
gende Hollandais had er weinig te zoeken. Nadat hij de
twaalfde etappe van Carpentras naar Orcières-Merlette
al moederziel alleen had afgelegd en bijna dertig minuten later dan winnaar Lucien van Impe was binnen
komen sukkelen, streek hij de dag erna zijn vaantje.
Hij keerde nimmer terug.

Nee, een leeuw met meer inhoud reed de volgende editie
mee. Hij luisterde naar de roepnaam Théo en kwam uit
het Limburgse Echt. Via Canada Dry-Gazelle belandde

hij in 1973 op het grote Franse zomertoneel, om de volle drie weken het snot voor ogen te fietsen. De beloning: een 70e plaats, en een van de vier renners in het onopvallende ploegje die van geen opgeven wilden weten. Het bleef voor Van der Leeuw bij één optreden.

Een van zijn mede-survivors was Jan Krekels, gouden medaillewinnaar van de Spelen in Mexico (ploegentijdrit). Hij begon met twee jaargangen bij Caballero om in 1971 de switch te maken naar Goudsmit. De Ronde van Frankrijk stond op zijn programma, en om dat heuglijke feit te vieren graaide hij gelijk een ritzege mee.

Of gelijk... de inwoner van Sittard moest geduld hebben tot de negentiende etappe (Blois-Versailles). Die dag demonstreerde hij zijn inzicht, want de kopgroep van tien die om de winst streden had geen beroerde namen aan boord: Guimard, Agostinho, Danguillaume, Wagtmans en Van Springel. Jantje legde ze er allemaal op. De eindklassering (50e) deed er uiteraard niet veel meer toe. Hoewel Krekels naderhand nog twee keer aantrad (78e in 1972, 75e in 1973), viel er weinig moois te rapen.

Onder-de-grond-bewoners waagden zich ook aan het geweld dat zich boven hen afspeelde. Vrij vroeg kleurde ene Charles Van Mol de annalen met zijn aanwezigheid. De Belg was geen kanon, zo werd snel duidelijk in de ronde van 1920. Op een kwart van het evenement kon hij magere rapportcijfers tonen (57e, 51e, 25e en 29e in de ritten); zijn achterstand in tijd bedroeg toen al tien uur op de toppers. Geen wonder dat het kluifje van Les Sables d'Olonne naar Bayonne (482 kilometer) op dag vijf hem de kop kostte. 'Eens maar nooit meer', verzuchtte Van Mol.

Dirk Demol verkocht zijn huid duurder. Niet verwonder-
lijk eigenlijk voor iemand die Parijs-Roubaix won, maar
dat terzijde. 'Molleke' kon in 1985 heel lang volgen, tot
de etappe die z'n eindpunt had in Aurillac. Dirk wist dat
het zwaar ging worden, daags ervoor arriveerde hij als
hekkensluiter in Saint-Étienne. De opgave betekende
niet dat hij voorgoed verloren was voor de Tour. Een jaar
na dato meldde hij zich opnieuw; deze keer zag Demol
(al schijnen ze weinig te zien) Parijs. Als nummer 149
die John Talen en Dirk Wayenberg nog achter zich wist
te houden.

Voor de pronkexemplaren van het dierenrijk, de
pauwen,is *La Grande Boucle* nauwelijks een catwalk
te noemen waarop ze konden paraderen met hun veren-
pracht. Althans, de hoendervogels Noël De Pauw en
Alfred Depauw behoorden tot de afdeling krabbelaars.
Eerstgenoemde finishte een keer, als 72e in 1965. Bij
zijn tweede poging had hij in rit zestien meer tijd nodig
dan was toegestaan, kortom: exit. Alfred Depauw maakte
eveneens twee keer zijn opwachting. Toen hij in de
zomer van 1913 tamelijk berooid huiswaarts ging na een
volledig mislukt avontuur – strijd gestaakt in de vierde
rit – duurde het even voor hij alles weer op een rijtje had.
Om precies te zijn tien jaar, want pas in 1923 zette hij de
vrees opzij. Maar sommigen zijn simpelweg niet geboren om dergelijke monsterondernemingen te beginnen.
Depauw zong het uit tot halverwege etappe vijf.

Tot de sectie Tourvogels behoren mannen als André
Corbeau en Henk Vogels. Als raaf doet de Fransman
Corbeau nog altijd uitmuntende zaken in de fabels,
in het zadel presteerde deze kaasrover niet al te veel.
Twee keer kon hij voor zijn kans gaan, in beide gevallen

Pauze voor de mascotte van de Tour.

waren de beschikbare vlieguren halverwege opgebruikt:
abandonné in rit dertien (1975) en twaalf (1976). Halve
Nederlander Henk Vogels kreeg zijn wielerbacil van
zijn Haarlemse vader Henk. Op het Tourterrein kon hij
niet veel potten breken. Hij voltooide de ronden van
1997 en 1999, beide keren in de anonimiteit. Al mag
worden vermeld dat hij op de slotdag van zijn debuut er
een leuke derde plaats uit rolde op de Champs-Élysées,
achter Nicola Minali en Erik Zabel, maar vóór Jeroen
Blijlevens.
Andere gevederde vrienden? Hanen, in alle soorten
en maten én kwaliteiten tussen de wielen. François
D'Haen, deelnemer in 1912, ontpopte zich in meer
gevallen als een echt haantje de voorste. Hij beet niet
alleen het spits af, hij had er evenmin problemen mee
al heel snel uit de koers te stappen: opgave in rit twee.
Piet Haan uit Mechelen, kon ook niet bijster goed uit
de voeten met dit karwei van drie weken. 1955, rit acht
van Thonon naar Briançon. Serieuze arbeid, zeker voor
een drietal Hollandse knapen: Wies van Dongen, Adri
Voorting en Haan. Ach, wat moesten ze diep gaan om
de eindstreep te halen. Een uur en vijf minuten deden
ze langer over de afstand dan de ongenaakbare Charly
Gaul, en die zat al bijna acht uur op zijn fiets! Ja, de
nacht kwam het trio nog door, maar rit negen was er te
veel aan. Einde verhaal.
Jo de Haan was uit ander hout gesneden. Hij kraaide
victorie in 1960 door Parijs-Tours te winnen. Eendaagse
wedstrijden lagen hem het best, dus dat verklaart
waarom die grote Tour de France geen noemenswaardige uitschieters bracht. Een keer tweede in een etappe

(achter Henk Nijdam in 1964), een vierde plaats, een vijfde plaats, en verder nietszeggende eindnoteringen in 1964 en 1965 (60e, 77e). Zijn Tour van 1960 was halverwege voorbij.

Voordat de aandacht wordt verlegd naar de schepsels van het water, nog kort de aandacht gericht op een rappe creatie, de haas. François Haas kon lekker fietsen en trok de stoute schoenen aan in 1932. Samen met 39 anderen streed hij in de categorie van de touriste-routiers, die overigens in hetzelfde klassement als de cracks werden opgenomen. Hoewel hij tot vijf keer toe heel dapper een klassering in de top tien van een etappe bemachtigde, stonden er in Parijs wel vijftig coureurs voor hem. Zo vliegensvlug was deze Breton niet. En dat het hem aan een lange adem mankeerde, kwam in 1933 aan het licht. Tijdens de tiende rit leverde hij gedesillu-sioneerd zijn rugnummer in.

Richard Lamb, een Australiër die kort na de Eerste Wereldoorlog de lange reis naar Europa ondernam, liet zich niet van de wijs brengen door alle ontberingen. Hij verkeerde dan ook in goed gezelschap, want de legende Hubert Opperman had zich eveneens ingeschreven. Van een mak lammetje was geen sprake: Lamb rondde zijn eerste en enige Tour (die van 1931) op keurige wijze af: 35e.

De watersoorten dan. Schitterend hoe sommige coureurs kunnen worden teruggevonden in die virtuele encyclo-pedie online, Wikipedia. Vis was en is er in overvloed, dus ook door de jaren heen in het Tourpeloton. Wat te denken van de Limburgse broers Harings, Ger en Huub. Beiden waren verschillende keren deelnemer. De achtergrond van Ger staat onder meer beschreven in een sappig dialect: *Gerard 'Ger' Harings (Sjuuëlder, 25 mei 1948) is 'ne veurmalige Nederlandse fitserenner. Harings waas profesjeneel fitserenner van 1969 pès*

*1976. In 1966 woort hae nasjenaal kampioen veldj-
rieje en in 1967 nasjenaal kampioen op de waeg biej de
amateurs. Wiejer haet hae drie etappe-euverwinninge
op ziene naam sjtaon in de Runj van Sjpanje. In 1972
woort hae derde in 't punteklassement van de Runj
van Sjpanje. Hae naom twee kieër deil aan de Runj van
Frankriek, wo-in hae zien bèste prestatie leverde in zien
debuutjaor 1971; 'n achste plaatsj in de veerde etappe
en 'n 82e plaatsj in de eindrangsjikking. In 1972 moosj
hae opgaeve. Ger Harings is 'n jóngere broor van Huub
Harings dae ouch fitserenner waas.*

Allemaal vrij duidelijk toch? Broer Huub, de eerste
Nederlands kampioen veldrijden ooit (1963), trok vier
jaar naar Frankrijk. Zijn begin was voortvarend, want
hij keerde in 1965 met een degelijke 32e plaats in de
rangschikking huiswaarts, als derde Hollander na Jan
Janssen (negende) en Rik Wouters (29e). De tweede
expeditie stopte abrupt in Briançon, waar 28 coureurs
in etappe zestien buiten tijd waren. Een zwart randje
aan een prachtdag voor de Nederlandse afvaardiging,
omdat Jan Janssen het geel veroverde, al duurde zijn
heerschappij slechts 24 uur.

1967 was een ronde waarin Harings geen seconde zijn
ritme kon vinden. Alle dagen verloor hij tijd en stempelde
af op een troosteloze 75e positie, meer dan anderhalf uur
achter winnaar Roger Pingeon. De Tours van 1969 en
1969 sloeg de Sibbenaar over; die van 1970 was nauwelijks twee dagen oud toen hij de stekker eruit trok.

Sjors Dolfijn, zo zou de Fransman Georges Dauphin
hebben geheten die in 1923 zijn geluk kwam beproeven
in die stoere rondrit door zijn vaderland. Hij was afkom-

stig uit Mailly-le-Camp, een gehucht in de Champagne-streek waar tegenwoordig 37 mensen op een vierkante kilometer wonen. Er viel geen fles bubbeltjesvocht te openen voor Georges: hij begreep in rit vier dat hem een roemloze ondergang zou wachten. Met op dat moment al een achterstand van tien uur, zo berekende hij, zou hij omgerekend dagen later in Parijs arriveren. De dolfijn verhief zich nog één keer uit de woeste Tourgolven en dook toen voorgoed onder.

Het spreekwoord 'als een vis in het water voelen' is Pascal Poisson op het lijf geschreven: geen betere naam voor een man die zijn leven heeft verpand aan de oceanen op deze aardbol. Natuurlijk, hij figureert in dit boek vanwege banden met het cyclisme – prof tussen 1980 en 1990, als knecht voor onder anderen Bernard Hinault en Laurent Fignon –, maar zijn liefde lag altijd al bij de zeilsport. Wanneer de Breton uit Plancoët zijn trainings-rondjes reed, passeerde hij steevast de havens langs de kust waar de blitse racemonsters voor anker lagen. Hij leerde de eigenaren, Antilliaanse schippers, kennen en raakte langzamerhand verslingerd aan het idee na zijn wielercarrière zijn werkterrein te verplaatsen naar Guadeloupe. Poisson specialiseerde zich in het overvaren en onderhoud van zeilboten van de gefortuneerden. Het competitie-element liet hem evenwel niet los. Poisson maakte voorzichtig plannen om als zeezeiler ooit mee te doen aan de vermaarde Route du Rhum, een wedstrijd waarbij de deelnemers van Saint-Malo naar Pointe-à-Pitre op Guadeloupe zeilen. In het najaar van 2014 zal er weer een editie plaatshebben. Dan wil hij

zijn droom vervullen. Het schip is er, het sponsorgeld
kwam ook binnen, een nieuwe sportieve loopbaan ligt in
het verschiet voor de 55-jarige.

Doet zijn Tourverleden er nog toe? Voor de volledigheid
zijn hier de cijfers: 1982 - 50e; 1983 - opgave 20e rit;
1984 - 80e en ritwinst
12e etappe; 1985 - 42e;
1987 - 67e; 1989 - 71e.
Tot slot van de dieren-
reeks springen er twee
zalmen stroomopwaarts,
beide van Franse signa-
tuur. De een, Benoît
Salmon, kan dankzij acht
starts terugkijken op een
dik Tourdossier. Memo-
rabel waren de eerste
(1997) en die van 1999
toen hij zich tot beste
jongere liet kronen. Zijn
debuut eindigde anders
dan hij zich had voorge-
steld. Salmon stond netjes

52e na zeventien etappes. De vermoeidheid van bijna
drie weken koers was voelbaar en zoals velen probeerde
hij soms te profiteren van een extra lift aan de auto
van de ploegleider. Hij deed het niet slim genoeg; een
commissaris op de motor constateerde de overtreding,
zag vervolgens hoe Salmon op onreglementaire wijze
een bevoorradingszak aanpakte en wees na afloop van
de achttiende rit fijntjes op de vier keer dat de Fransman

zich via een wagen op snelheid had getrokken. Behalve de boete kreeg hij de zwaarste sanctie: uitsluiting. Het zou hem naderhand niet meer overkomen. Sterker nog, twee jaar later revancheerde Salmon zich op schitterende wijze door als nummer zestien te worden afgevlagd én zich te verzekeren van de witte trui. In het jongerenklassement bleef hij met gemak de Belg Mario Aerts voor. Zo'n magnifieke prestatie zou hij in het vervolg niet meer leveren: Salmon werd nog in 1998 28e, in 2000 107e, in 2001 35e, in 2004 83e, in 2006 39e, en sloot in 2007 af met een 125e plaats. Félicien Salmon was een sportieveling uit de Belgische Ardennen die zich ook als bokser onderscheidde. Hij trapte in 1912 driftig en dapper mee met de beteren van het Tourpeloton, en wist zich te handhaven in de top tien. Het daaropvolgende jaar ging het al snel fout. Tijdens de etappe van Brest naar La Rochelle crashte hij ongenadig hard. De wedstrijd hervatten was uit den boze, maar wat erger was: de blessure die hij had opgelopen leidde tot zoveel gewrichtspijn dat hij zijn loopbaan moest afbreken.

QUIZVRAGEN TOUR 1987

❶ Behalve de unieke trilogie die Stephen Roche in 1987 realiseerde, horen ook steeds terugkerende knieproblemen bij zijn levensverhaal. Een Duitse wonderdokter, medisch icoon van Bayern München, hielp hem er grotendeels vanaf. Hoe heet hij?

❷Roche triomfeerde ook in de Giro, al ging daar een bitse, interne oorlog aan vooraf met een Italiaanse ploegmaat en zijn ploegleider. Slechts één renner bleef in dat gevecht aan de kant van Roche staan. Wie moest hij afschudden, hoe heette de ploegleider, om welke ploeg ging het en welke Belgische knecht koos zijn kant?

---

❸Waar werd Roche dat jaar wereldkampioen?

---

❹Opvallende naam aan de staart van het klassement na de proloog: een Spanjaard die zes minuten langzamer is dan zijn voorganger en in zes kilometer een kwartier moet toegeven op de ritwinnaar. De man zou vanaf 1997 een prima bondscoach zijn van de Iberische selectie. Wie is dit?

---

❺Davis Phinney en Greg LeMond gingen hem voor, maar hij maakte naam met zijn zege op de Champs-Élysées. Het zou zijn enige profoverwinning zijn. Hoe heet deze yank?

---

❻Op l'Alpe d'Huez vierde de bescheiden ploeg van BH een geweldig feest vanwege de dubbel. Federico Echave zegevierde voor Anselmo Fuerte. Er was nog een renner van het team heel kort in de uitslag, met een achtste plaats. Een Belg, nu nog in het wielercircuit te zien, met doorgaans een gebruind hoofd en een motorpak aan. Wie o wie?

---

❼Bijna zo belangrijk als de president van het land? Welnee, het gordijn was nog dicht, en geel waren alleen de zonnestralen. Er werd hooguit een stevige borrel gedronken, de Nederlandse variant van Lechner! Lekker! Wie houdt zich in deze cryptogram schuil?

---

⑧ Winnaar van Milaan-Sanremo, ploegmaat van de latere Tourwinnaar en tijdens de ronde zes dagen lang de man op wie velen letten, vanwege de gele trui. En toch altijd een kleine renner gebleven. Nu fietsenmaker van beroep. Zijn naam?

---

⑨ De Tour draaide ook voor een deel om een nieuwe Franse kroonprins, een begenadigd tijdrijder, een 'dandy boy'. Natuurlijk was startnummer 1 voor hem. Legendarisch was zijn uithaal in de chronorace op de Mont Ventoux, daarna sneuvelde hij door gemakzucht en luiheid. Nooit meer kreeg de natie zijn brille van deze ronde nog te zien. Zijn naam?

---

⑩ Jeannie Longo won in 1987 voor de eerste keer de vrouwen-Tour. Zij versloeg de vrouw die haar de twee jaar ervoor had dwarsgezeten. Wie was die kwelgeest?

[A] Leontien van Moorsel [B] Maria Canins
[C] Catherine Marsal [D] Heidi Van De Vijver

QUIZVRAGEN TOUR 1988

❶ Zomaar wat namen van grote renners en een aantal eindklasseringen plus tijden. Koppel namen aan de juiste plaats en tijd. Miguel Indurain, Tony Rominger, Marino Lejarreta, Hennie Kuiper. 95e op 1.49, 37; 68e op 1.23,41; 47e op 1.03,15; 16e op 26.36

---

❷ Een van Nederlands meest besproken ploegleiders liet in 1988 het leven. Hint: hij debuteerde tijdens de editie waarin Wim van Est furore maakte met een snoekduik in het ravijn. Over wie hebben we het?

----

❸ De dopingperikelen waren niet van de lucht. Wie raakten er in opspraak van de toppers?

----

❹ Jean-Paul van Poppel sprintte vier keer messcherp, maar mocht niet het groen in ontvangst nemen. Wie wel?
[A] Davis Phinney [B] Sean Kelly
[C] Etienne De Wilde [D] Eddy Planckaert

----

❺ Twee voornamen voor een kampioen van 1988. Om door een ringetje te halen, zelfs na een modderballet. Wie is in deze crypto verpakt?

----

❻ Grootse Alpenritten, maar 'kleine winnaars' uit Italië en Spanje. En ook op de Puy de Dôme had de Tourdirectie graag iemand anders zien winnen dan een onbetekenende Deen van de Fagor-formatie die in 1988 ook een etappe in de Vuelta won. De Italiaan heette van voren Massimo en reed voor Carrera, de Spanjaard luisterde naar Laudelino en behoorde tot het team van BH. In de Vuelta van dat jaar werd hij vierde. Hun achternamen luiden?

----

❼ Steven Rooks bracht de Hollandse fans in extase door op dé Alp te zegevieren. Maar wie eindigde op plek twee?

----

❽ Pedro Delgado arriveerde in Parijs met een gemiddelde snelheid van 39,142 km/uur. Hoe vaak zou Miguel Indurain in zijn vijf gewonnen Tours sneller zijn geweest?

[A] **Niet één keer** [B] **alle keren**
[C] **drie keer** [D] **twee keer**

----

⑨ Adri van der Poel pakte de op twee na kortste etappe in de Tourhistorie (ritten in lijn) door van Tarbes naar Pau te winnen: 38 kilometer. Hoe lang deed hij daar over?
[A] **43.25 minuten** [B] **48.12 minuten**
[C] **46.36 minuten** [D] **59.58 minuten**

----

⑩ De 75e Tour werd na die van 1910 opnieuw een historische aflevering voor de Belgen. Waarom?

Steven Rooks wint de bolletjestrui in 1988.

Prachtig kunstje van Pelier

Joël Pelier was geen man die voor veel schreeuwende krantenkoppen borg stond. Wellicht lukt hem dat in zijn huidige bestaan als beeldend houtkunstenaar beter. De ontdekking van de wielergekke graaf Jean de Gribaldy maakte niet heel lang deel uit van het leger van Tourrenners (zes seizoenen), maar voegde niettemin vermeldenswaardige passages toe aan de 'eeuwige' bijbel van de ronde. Eerst de voor hem zwarte bladzijde(n) in 1986: rit 17, van Gap naar Serre Chevalier met de 2.413 meter hoge Col du Granon (9,2 gemiddeld stijgingspercentage) die voor de eerste en enige keer als aankomstpunt fungeerde. Dertig minuten en vijf seconden nadat de Spanjaard Eduardo Chozas zijn moment van glorie mocht beleven en alle groten op minimaal zes minuten achterstand trakteerde, fladderde de 24-jarige Pelier over de witte kalklijn. Het gezicht van de knecht uit de KAS-formatie zag minstens zo bleek; dat was niet voor niets, want een tel later zakte hij als een pudding in elkaar. De inspanningen van de slotklim waren hem te veel geworden. Er moest zuurstof aan te pas komen, en dat niet alleen, want Pelier verliet de Alpentop op dezelfde wijze als de koningstandem van La Vie Claire, Greg LeMond en Bernard Hinault: per helikopter. Met dien verstande dat de wentelwiek van Pelier was voorzien van een rood kruis. Doktoren in het ziekenhuis beletten hem de volgende dag nog te starten.
Het kwam allemaal weer goed met hem, hij overleefde als coureur een positieve controle in 1988 en schreef op

WINNEN IN FUTUROSCOPE

DATUM	[ETAPPE NR.] VAN-NAAR	AFSTAND (KM)
	START/FINISH WINNAAR (LAND)	
2 juli 2000	[2] Futuroscope - Loudun	194,0
	S Tom Steels (BEL)	
1 juli 2000	[1] Futuroscope - Futuroscope (tijdrit)	16,5
	S/F David Millar (GBR)	
24 juli 1999	[19] Futuroscope - Futuroscope (tijdrit)	57,0
	S/F Lance Armstrong (VS)	
23 juli 1999	[18] Jonzac - Futuroscope	187,0
	F Gian-Paolo Mondini (ITA)	
9 juli 1994	[7] Rennes - Futuroscope	259,5
	F Ján Svorada (SLW)	
1 juli 1990	[2] Futuroscope - Futuroscope (ploegtijdr.)	44,5
	S/F Panasonic	
1 juli 1990	[1] Futuroscope - Futuroscope	138,5
	S/F Frans Maassen (NED)	
30 juni 1990	[P] Futuroscope - Futuroscope (tijdrit)	6,3
	S/F Thierry Marie (FRA)	
7 juli 1989	[6] Rennes - Futuroscope	259,0
	F Joel Pelier (FRA)	
10 juli 1987	[10] Saumur - Futuroscope (tijdrit)	87,5
	F Stephen Roche (IER)	
13 juli 1986	[10] Nantes - Futuroscope	183,0
	F José Angel Sarrapio (SPA)	

Frans Maassen

7 juli 1989 met betraande ogen zijn naam bij op de lijst
van ritwinnaars. Van Rennes naar Futuroscope, dat was
een immense oversteek van 259 kilometer, maar Pelier
had er zin in. Terwijl de meute kalmpjes aan deed, nam
hij net voor de eerste bevoorrading de benen. De kilo-
meterteller stond op 93, nog een goede 150 te gaan dus.
Zeventig kilometer verder klokte de tijdwaarnemer van
de Tour een voorsprong van zeventien minuten voor de
eenzame soldaat van het Spaanse ploegje BH; Pelier had
virtueel de gele trui om de schouders!
Franse fans dansten aan de finish, zelfs het slechte
nieuws van een valpartij waarbij drie landgenoten –
Pensec, Claveyrolat en Marie – behoorlijke slachtoffers
waren, kon hun plezier niet vergallen. Natuurlijk liet
klassementsleider LeMond zich niet zomaar van de troon
afstoten. De jacht werd ingezet, de stevige zijwind hielp
een handje en in het 'toekomstpretpark' van Futuroscope bleek er nog marge te zijn van anderhalve minuut.
Pelier bekocht zijn dappere soloreis opnieuw met een
fenomenale wegtrekker, maar deze keer kon het hem
niet deren. 'Ik heb vandaag een lange neus kunnen trekken naar al die mensen, Laurent Fignon voorop, die niet
meer in me geloofden en mij als afval op de vuilnishoop
gooiden', sprak Pelier enigszins verbitterd.

––––––––––––––––––––––––– **1989** –––––––––––––––––

53 x 63

Walter Magnano, ook een naam om eens aan de verge-
telheid te ontrukken, en niet vanwege een fameuze
erelijst. Verre van dat, want deze Italiaan die een

proflicentie had van 1985 tot en met 1992 won een
koers. In 1991 was hij de beste in de tiende etappe
van de Wielerweek van Lombardije. Verder? Hij schitterde in anonimiteit als lid van het omvangrijke rijk der
knechten. Werken voor de meer getalenteerden (Roche,
Bontempi, Chiappucci) gaf hem zijn bestaansrecht in de
sport. En bij zijn ploegen Gis Gelati en Carrera deden
ze hem 'groot plezier' door hem af te vaardigen naar de
Tour. Maar kennelijk wel met een opdracht: blijf vooral
onzichtbaar in de uitslagen. Het lukte hem wonderbaar-
lijk goed in tweeënhalve ronden (1986, 1988 en 1989).
Hij reed 53 etappes en nooit reikte de man uit Trento
hoger dan de 63e plaats in een rit! Dat gebeurde, hoe
toepasselijk, in zijn allerlaatste Touretappe.
Wie eveneens een vermelding verdient, is de Australiër
Matthew Wilson. Een typische 'tough guy' van Down
Under die vlak voor zijn profdebuut zijn mooiste prijs

Walter Magnano

al mocht incasseren: hij
werd gezond verklaard
na langdurig te hebben
geleefd tussen hoop en
vrees toen artsen in 1999
de ziekte van Hodgkin
ontdekten. Wilson startte
zijn loopbaan bij Mercury-
Viatel. Het contract dat
hij op voorspraak van
landgenoot Baden Cooke
verdiende, bleek al gauw
knap waardeloos omdat
de Amerikaanse manager
meer praatjes had dan

ROEMLOOS IN DE UITSLAG

PERSOON	BESTE KLASSERING	AANTAL ETAPPES
Walter Magnago (ITA)	63	53
Dominique Rault (FRA)	59	43
Joan Horrach (SPA)	51	41
Jérôme Bernard (FRA)	57	40
André Léger (FRA)	52	38
Francesco Secchiari (ITA)	67	35
Arsenio Chaparro (COL)	63	32
Leonardo Bertagnolli (ITA)	57	30
Matthew Wilson (AUS)	113	30
Léopold Gelot (FRA)	51	27
Pierre Bourquenoud (ZWI)	78	27
Arthur van de Vijver (BEL)	51	26
Noël Geneste (FRA)	55	26
Jean-Claude Baud (FRA)	57	26
Charles Genthon (FRA)	67	26
Bernard Masson (FRA)	83	26
Maurizio Piovani (ITA)	90	25
Wilfried Cretskens (BEL)	55	24
Louis Millo (FRA)	57	24
Maryan Hary (FRA)	58	24
Lucien de Brauwere (BEL)	60	24
Etienne De Beule (BEL)	55	23
José-Antonio Xavier (POR)	55	23
Michel Charréard (FRA)	57	23
Giovanni Bettinelli (ITA)	59	23
Jean Selic (FRA)	61	23
Manuel Zeferino (POR)	62	23
Mario Ronchiato (ITA)	72	23
José del Ramo Nunez (SPA)	79	23

geld. In dienst van Française des Jeux kon hij gelukkig het jaar erop een doorstart maken. In 2003 stuurde teambaas Marc Madiot hem mee naar de Ronde van Frankrijk, het begin van een redelijk bizarre serie klasseringen. Natuurlijk fungeerde hij als ondersteunende pion voor wie de streep dagelijks kon worden getrokken zodra het werk erop zat. Maar er is geen renner te vinden in de geschiedenis die ruim een Tour buiten de top honderd wist te blijven. Wilson deed het toch mooi. In de zesde etappe van de aflevering van 2004 finishte hij op plek 113, met voorsprong zijn beste in dertig voltooide ritten.

QUIZVRAGEN TOUR 1989

❶Met hoeveel seconden voorsprong op Laurent Fignon won Greg LeMond de gedenkwaardige tijdrit in Parijs in 1989?

- -

❷LeMond won de tijdrit, Fignon werd drie. En wie zat er tussen de twee kemphanen?

- -

❸Op de negende plaats eindigde, na Jelle Nijdam die vierde werd, de tweede Nederlander van die dag. Wat is de naam van deze in Bussum geboren renner die voor Caja Rural uitkwam?

- -

❹LeMond won de Tour van 1989. Hoeveel andere renners in de top tien van het klassement kun je je herinneren? Let op: het gaat alleen om namen, niet om de klassering.

- -

❺Ook de 15e etappe in deze Tour was een tijdrit. De strijd spitste zich op dat moment nog niet zo nadrukkelijk toe op LeMond en Fignon. Steven Rooks was de beste in deze klimchrono, maar wie mocht het geel na afloop van de rit aantrekken?

---

❻LeMond werd dus afgevlagd als eindwinnaar van de ronde. Hoeveel keer mocht hij in de hele ronde het geel aantrekken, en op hoeveel dagen was dat het geval voor zijn grote rivaal Fignon?

---

❼Wie waren eigenlijk de acht ploegmaten van LeMond in de Tour van 1989?

---

❽In de ploeg van Fignon reed een latere Tourwinnaar. Wie?

---

❾De weergoden hielpen hem deze ronde weer in het zadel, maar zijn beste tijd had hij wel gehad. En 4-9-6-9 is ook niet echt beroerd. Over wie gaat deze crypto?

---

❿Renners met elf verschillende nationaliteiten wonnen in 1989 een of meer etappes. Nederland had in Parijs zes dagprijzen op zak. Dankzij wie?

QUIZVRAGEN TOUR 1990

❶Acht jaar later zou hij, gehuld in de bergtrui en bivakkerend op plaats 7 in het klassement als eerste renner ooit in de Tourgeschiedenis gearresteerd worden wegens het bezit van dopingproducten. Dat had de Rode Lantaarn van 1990 ook niet kunnen vermoeden. Wie was dit?

----

❷Thierry Marie, Steve Bauer, Ronan Pensec, Claudio Chiappucci en Greg LeMond gingen allemaal gehuld in het geel. Wie het langst, wie het kortst, zet ze in de juiste volgorde.

----

❸Erik Breukink was een klasse apart als tijdrijder. Zo klopte hij twee keer de absolute heerser van de jaren erna, Miguel Indurain. Die imponeerde vooral in 1993 met een tijdrit rondom het Meer van Madine. Breukink voelde zich langs de boorden van een ander meer heel senang in 1990, toen hij een van zijn twee chrono's won. Welk meer?

----

❹Frans Maassen, Jelle Nijdam en Gerrit Solleveld waren ook succesvol in deze editie. Wie van dit trio won als eerste een etappe?

----

❺Toen er geen muur meer was, werd het groen. Plotseling was de westerse elektronica binnen handbereik vervaagden de normen in het mobiele tijdperk. Welke renner is hieruit te distilleren?

Erik Breukink wint twee individuele tijdritten in 1990 en wordt derde in het eindklassement.

⑥Ze waren eerste in een rit, maar wonnen ook allen een of meer voorjaarsklassiekers: Frans Maassen, Moreno Argentin, Johan Museeuw, Jelle Nijdam, Gianni Bugno. Welke klassiekers wonnen wie?

⑦Sinds 1980 stond er jaarlijks minimaal een Fransman in de top tien van de Tour. In 1990 niemand. De eerste 'thuisrijder' die we tegenkomen, was geparkeerd op plaats 14. Wie was dat?

[A] Gilles Delion [B] Ronan Pensec
[C] Fabrice Philipot [D] Eric Boyer

⑧Het Italiaanse Alfa Lum gaf een Russische invasie gestalte. Tot het gezelschap behoorde een duivenmelker uit Tasjkent, een zwijgzame Let die het ooit tot het podium zou schoppen en een Rus die anno 2014 nog heerlijk in het Nederlands kan vloeken vanwege zijn verleden bij TVM. Welke drie personen zijn beschreven?

⑨De beste klimmer van de ronde had de pech dat hij negen jaar later een verkeersongeval veroorzaakte waarbij twee mensen omkwamen. Met die last op zijn schouders benam hij, de 'adelaar van Vizille', zichzelf van het leven. Wie was deze Fransman met de prachtige naam?

⑩Zoals gezegd won Maassen een etappe. Bauer greep het geel en welke Italiaan en Fransman kwamen er bekaaid af, afgezien van het feit dat ze ook een winst pakten van dik acht minuten?

QUIZVRAGEN TOUR 1991

❶ Man van de straat, met affectie voor de Grote van Navarra. Maar diende ook Goden van de julimaand zoals Laurent, Pedro en Bjarne. Welke Franse knecht, die notabene 10e werd in de Tour van 1991, wordt hier bedoeld?

----

❷ Natuurlijk, 1991: het drama rond PDM. Ziek, zwak en misselijk en na rit elf was de gehele ploeg naar huis.

Jean-Paul van Poppel komt
als eerste over de streep in
de zevende etappe in 1991
van Le Havre naar Argentan.

Breukink, Verhoeven, Van Poppel, Van Aert, dat waren de Nederlanders in het team. Wie de vijf buitenlanders?

❸ Door welke Vlaming werd ploegleider Jan Gibers geassisteerd bij PDM?

❹ Drie coureurs van PDM stonden nog keurig in de top tien van het klassement toen de ellende echt begon in en na rit tien. Welke drie waren dat?

❺ Geef de namen van de top drie in juiste volgorde en vertel daarbij voor welke ploeg ze uitkwamen.

❻ Henri Manders, Jan Siemons, Eddy Schurer, Toine Poels, Wiebren Veenstra en Rob Harmeling behoorden onder anderen tot de achttien Nederlandse deelnemers. Twee van deze zes eindigden als laatste en voorlaatste renner? Welk duo?

❼ Wat gebeurde er met de groene trui op de Champs-Élysées?

❽ TVM had in Theunisse zijn beste man, maar een andere renner bezorgde de ploeg nog wat echte prijzen in de vorm van twee ritzeges. Wie?

❾ Twee Nederlanders wonnen een etappe. Jelle Nijdam was er een van. Wie de ander?

❿ Deense tranen aan het slot van de zesde etappe. Waarom?

Eddy Bouwmans eindigt in 1992 bovenaan in het jongerenklassement. Hij is daarmee de laatste Nederlander die de witte trui wint.

QUIZVRAGEN TOUR 1992

❶ 'Knak', zei de tulp, gadegeslagen door de oranje kolonie op de berg. De pechvogel baande zich een weg, onderwijl roepend dat hij voortaan kleine rondjes zou doen. Een crypto over een Nederlandse coureur. Wie?

❷ Buckler en Panasonic heetten de topformaties van Nederland. In rit zeventien kwam pijnlijk aan het licht hoe slecht de onderlinge relatie was tussen de teambazen Post en Raas. Elke ploeg had een renner voorop, Jean-Claude Colotti was nummer drie. Die won eenvoudig omdat de andere twee alleen oog hadden voor elkaar. Welke Nederlandse en Vlaamse trekpoppen waren dit?

❸ Een Amerikaan kreeg de zegen van Indurain om op l'Alpe d'Huez te triomferen: zijn enige overwinning in de Tour. Geef de naam.

❹ In het kader van de Europese eenwording deed de karavaan tal van landen aan. Welke?

❺ Indurain won de ronde, maar een Fransman droeg net zo lang als hij het geel. Hij was de ploegmakker van de toen al populair wordende Richard Virenque bij RMO. Hoe luidde zijn naam?

❻ In 1986 was hij een van de hoofdrolspelers in een tenen-krommend theater op l'Alpe d'Huez, zes jaar later liet hij de beklimming van dé Alp voor wat-ie was. Een landgenoot maakte wel mooie sier boven. Wie was de beroemde opgever onderweg?

------

❼ Jean-Claude Colotti, eerder al genoemd in deze vragenlijst, won in Montlucon. Hij verdiende zijn geld bij de ploeg met de kortste naam. Welke?

------

❽ Rob Harmeling was de gelukkige in Bordeaux. Na hem zijn er tot aan de Tour van 2014 slechts negen andere landgenoten geweest die een of meer etappes wisten te winnen. Wie zijn dat?

------

❾ Bij wie zat de regenboogtrui om de schouders dit seizoen (1992)?

------

❿ Tijdens de eerste etappe kon het peloton direct de (Baskische) bergen in, met onder andere de scherprechter van de Clasica San Sebastian? Hoe heet die col?

Steven Rooks in 1991.

QUIZVRAGEN TOUR 1993

❶ Novémail-Laser was een onopvallende ploeg van de ooit zo grote Peter Post. Behalve wat Fransen, Russen en Belgen stelde hij een Nederlander op voor deze Tour. Een Brabander die naderhand erg handig werd met hout. Wie was dat?

---

❷ Steven Rooks had al lang zijn beste jaren achter de rug. Hij verscheen nog wel aan de start van de Tour, maar deed in rit twee al geen moeite meer om op tijd te komen. Voor welk team kwam hij uit?

---

❸ Ariostea verscheen met een man aan de start die later Michael Rasmussen ernstig in de problemen zou brengen, toen whereabouts voorname dingen werden. Wat is de naam van deze Italiaanse 'verklikker'?

---

❹ De Nederlanders waren verspreid over zeven teams: Festina, ONCE, ZG-Mobili, TVM, Novémail-Laser, Wordperfect, Amaya e Seguros. Hoeveel van de veertien zijn er te achterhalen?

---

❺ Een duivenmelker en een muis zegevierden beiden drie keer. Bovendien won de een het puntenklassement en de ander de bergtrui. Hun namen?

---

❻ Meer moet dat niet zijn, klonk het rond het water. Dit gerecht zou nog vaker ten tonele verschijnen. Over welke specialiteit van welke renner gaat deze crypto?

---

❼ Een glas etende Pool, een later heel sluwe teambaas, 'Monsieur 65' en een temperamentvolle Italiaan, ze hadden in deze Tour allemaal succes. Wie gaan er achter de omschrijvingen schuil?

---

⑧Antonio Martin? Winnaar van het jongerenklassement. Later niets meer van gehoord. De reden? [A] Hij zag in de winter van 1993 het licht en werd priester [B] de Spanjaard gaf toch liever de voorkeur aan zijn studie biologie [C] hij werd doodgereden door een vrachtwagen in de winter van 1993 [D] een positieve dopingcontrole zorgde voor een vroegtijdig einde van zijn loopbaan.

---

⑨De Tour de France werd dit jaar eigendom van een familiebedrijf, afgekort met drie letters: ASO. Waar staan die voor?

---

⑩De Tour van 1993 was ook het toneel van de laatste stuiptrekkingen van een verguisde én gerespecteerde Franse renner. Zelfs de sportdrank Gatorade kon hem niet harder laten rijden. Wie wordt hier bedoeld?

1994

Christophe Gendron, gendarme van Armentières

Dit stukje tekst had over Wilfried Nelissen kunnen gaan, of over Laurent Jalabert. De twee supersprinters hadden hun zinnen gezet op de ritzege in de eerste Touretappe van 1994, naar Armentières. Er was al een hoop nervositeit voorspeld, de tekst bij de routekaartjes hintte al voorzichtig in de richting van een valpartij. Maar zo zout als deze middag in Noord-Frankrijk hadden ze het tijdens de Tour nog maar zelden gegeten. Een politieman in functie, opgesteld om de veiligheid te garanderen, veroorzaakte een enorme crash.

Een slow motion van de televisiebeelden gaf nog diezelfde dag uitsluitsel. Wat deed deze Christophe Gendron, gendarme van beroep, nu toch? Stond hij daar werkelijk met een fotocamera, maakte hij een foto voor zijn privéalbum? Nee, dat niet. Een jong meisje in het publiek had hem, de eersterangs burger, gevraagd een kiekje te maken. Wie had er nu beter uitzicht dan hij? Gendron wilde haar maar wat graag van dienst zijn.

Een dure fout. Door de zoeker van de camera schatte hij de snelheid van het naderende peloton niet goed in. De gevolgen waren dramatisch. De Histor/Novémail-formatie van Peter Post zag een publicitair aantrekkelijk moment volledig verpest worden. Wilfried Nelissen, als altijd sprintend met het hoofd naar beneden, ging hard tegen het asfalt. Er was in zijn jacht op de dagwinst nog

ruimte genoeg tussen hem en de dranghekken, maar die
agent stond wel erg ver op de weg.
In Nelissens kielzog kukelde onder anderen ook Laurent
Jalabert omver. De Fransman brak zo'n beetje alles wat je
in je gezicht kunt breken. Nooit meer keerde hij terug als
sprinter, zijn metamorfose tot klassementsrenner kreeg
in Armentières zijn beslag. Alexander Gontsjenkov brak
bij de val zijn pols, Fabiano Fontanelli zijn sleutelbeen.
Gendron overigens kwam er evenmin ongeschonden
vanaf. Hij liep een dubbele beenbreuk op. Zijn ego
was bovendien voor eeuwig geknakt. Altijd zou hij de
'Gendarme van Armentières' blijven.
Nooit wilde Nelissen – die pas 's avonds in het ziekenhuis meekreeg wat hem was overkomen – de beelden
terugzien. Jalabert voorzag zoiets al direct. Nadat hij
met zijn hoofd op een pilon was geslagen, kwam het
bloed er aan alle kanten uit. 'Ik wilde zo min mogelijk
bloed laten zien. Mijn vrouw, in verwachting van ons
tweede kind, zat thuis voor de tv.'
Het waren fysieke klachten, maar er was meer leed.
Voor de ploeg van Peter Post was de Tour van 1994 de
laatste, de teammanager kon geen nieuwe sponsor voor
1995 vinden. In Armentières, de Tour was amper twee
dagen oud, ging een kruis over de aspiraties voor die
Ronde. Alle kaarten waren op Nelissen gezet. 'Voor ons
is de Tour voorbij. Over en uit. Fini. In één klap.' De
kansen voor 1995 slonken erdoor. Zware crashes maken
potentiële sponsors niet gretiger.
De ritzege in Armentières ging overigens naar Djamoli-
dine Abdoesjaparov. De kamikazesprinter had nu eens
niet de schuld aan een flinke val in de eindspurt.

QUIZVRAGEN TOUR 1994

❶ Natuurlijk vertrok Miguel Indurain in deze ronde ook als grote favoriet voor de eindzege. Waar begon de Tour in 1994, en met welke plaats moest de Spanjaard zich tevreden stellen na de proloog?

---

❷ Wie zijn jarenlang de regisseurs van zijn imposante carrière geweest?

---

❸ Indurain is de succesvolste Spanjaard in de Tour-geschiedenis met vijf eindzeges. Ken je nog meer Spaanse triomfators?

---

❹ Indurain mag je gerust een vaste bezoeker van de Tour noemen. Hoe vaak verscheen hij aan het vertrek, hoeveel keer staakte hij voortijdig de strijd, en wat was de enige top-tienklassering naast de vijf eindoverwinningen?

---

❺ Weggeblazen door Indurain in chrono's, ondanks zijn sponsor, maar een springveer in de bergen. Ontdekt tijdens de Tour van 1992, waar hij zich een dag zonnekoning mocht noemen. Deze crypto gaat over...?

---

❻ Een Nederlander had niet alleen het hoogste start-nummer, hij finishte ook keurig als laatste in het klasse-ment. Verdere aanwijzingen: tempobeul, roodharig, Zuid-Hollander. Over wie hebben we het?

---

❼ Bijna twintig coureurs waren er niet meer bij na de rit van Castres naar Montpellier. Of ze vertrokken 's morgens al niet meer, of ze knepen onderweg in de remmen. Eén

renner, met een Nederlands paspoort, haalde wel de streep, maar hoorde 's avonds in zijn hotel dat hij kon vertrekken. Wie en waarom?

❽ Bij ONCE, een andere Spaanse grootmacht, hadden ze voor aanvang van deze Tour hoge verwachtingen. De namen in deze formatie logen er dan ook niet om. Wie schieten je nog te binnen?

❾ Hoeveel dagen zat het geel om Indurains schouders? Hij won twaalf etappes, hoeveel waren er ritten in lijn? En wat is de naam van zijn broer?

❿ Met wie stond Indurain in Parijs het meest op het podium (twee namen)?

QUIZVRAGEN TOUR 1995

1 In Saint-Brieuc vertrok op 1 juli 1995 de 82e Ronde van Frankrijk. Er was een gedoodverfde favoriet voor de proloogwinst, die een jaar eerder de ouverture ook won. Hij kon echter na een valpartij alweer naar huis met een gebroken enkel. Zijn naam?

----

2 Natuurlijk, Jacky Durand bleek de gelukkige winnaar van de 7.300 meter race tegen de klok. Toch zag het er heel lang naar uit dat er ondanks de stromende regen een van de kandidaat-eindwinnaars hem zou aftroeven. Ook deze onder andere Nederlands pratende, coureur gleed onderuit en eindigde slechts als 26e. Wie wordt er bedoeld?

----

3 Nog maar even de proloog. Het werd een echt Frans feestje, want op de plaatsen 2, 3 en 4 in de uitslag stonden naderhand landgenoten van Durand. Hun namen?

----

4 Na de proloog en acht etappes hadden al zes verschillende renners het geel om de schouders: twee Fransen, een Italiaan, een Deen, een Belg en uiteindelijk Miguel Indurain die de trui tot in Parijs zou behouden. Wie waren behalve Durand en de Spanjaard, de vier gelukkigen?

----

5 Groots op de Champs-Elysées, ondertussen denkend aan Merckx. De Franse driekleur moest algauw halfstok. Weinigen waren VERZEKERD van succes. Wie wordt in deze crypto bedoeld?

----

6 Tot de vijfde rit voerde een Nederlander het klassement van de strijdlustigste renner aan. Hij zou uiteindelijk als

Christophe Moreau

16e finishen in die ranking, terwijl een Colombiaan de zege greep. Over welke Nederlander en Zuid-Amerikaan hebben we het hier?

❼ GAN arriveerde na drie weken Tour met drie man in Parijs. De negen die in Saint-Brieux vertrokken, heetten Boardman, Capelle, Gouvenou, Lance, Ledanois, Lemarchand, Moreau, Rous en Seigneur. Noem de vier coureurs die sneuvelden nadat Boardman en Seigneur al waren verdwenen.

❽ Er was slechts één team dat met de volledige 'bemanning' de eindstreep bereikte. Welke ploeg?

❾ Er deden meer Fransen, Italianen, Spanjaarden en Belgen dan Nederlanders mee aan deze Tour. Oranje had tien man in de strijd. Ken je de namen?

❿ 1995 zal altijd blijven herinnerd worden als de Tour waarin Fabio Casartelli het leven liet. Hennie Kuiper was een van zijn ploegleiders bij Motorola. Welke Amerikaan vergezelde hem in deze ronde?

Cyril Saugrain, wie kende hem niet?

Wie afstemt op de Waalse omroep RTBF hoort hem
nog weleens voorbijkomen, maar zelden gaat er bij
de kijkers een lichtje branden als zijn naam valt. Cyril
Saugrain? Was dat niet...? Of nee, hoe zat het nu ook al
weer? Ja, een ex-coureur. Maar had die nu eigenlijk ooit
weleens wat gewonnen?
De laatste jaren was hij, als zoveel ex-renners, werk-
zaam bij een fietsenfabrikant. Bij B'Twin, het huismerk
van Decathlon, hield Saugrain onder meer contact met
toeleveranciers van materialen. Hij wist als geen ander
hoe soepel alles moet draaien.
Zijn functie had hij, natuurlijk, ook aan zijn arbeidsethos
te danken. Maar vooral aan zijn visitekaartje. Daarop:
één wapenfeit. Ritwinnaar in de Tour.
Er zijn zoveel coureurs als hij. Jarenlang prof, een
magere erelijst. Maar tussen al die oninteressante uitslagen staat er voor Cyril Saugrain één uitschieter. Op 3
juli 1996 veranderde het leven van Saugrain voorgoed.
De kleine coureur, uit een ook nog eens nietig ploegje
(Aubervilliers), groeide op het podium aan het Lac de
Madine. Hij, de jongen van het minimumloon en de nave-
nante resultaten, had zojuist een Touretappe gewonnen.
Voor de huldiging, zich opfrissend voor het kussen
van de missen, was hij Danny Nelissen nog eens tegen
het lijf gelopen, met Piccoli, Heulot en Jaermann zijn
medevluchter die dag. 'Ik kende hem niet', gaf Nelissen,

geklopt én gefopt in de sprint, grif toe. De Nederlandse belofte had die Tour al de bollentrui gedragen, maar had zijn zinnen op een ritzege gezet. Die ging naar de Grote Onbekende. 'Ik had me voor de sprint volledig op Jaermann gericht.' Nelissen was woedend. Op zichzelf. Hij bonkte op zijn stuur, vloekte stevig. Dat hij de bollentrui terugkreeg, kon hem amper plezieren. Zeventien minuten hadden ze gekregen. Dat kon in die tijd nog makkelijk gebeuren. Het peloton had nog geen oortjes, kwam in de finale tot de ontdekking dat het gat te groot was en gunde de vijf een kans op de ritzege. Nelissen verprutste die, Saugrain beleefde de dag van zijn leven. Hij is er nog altijd beretrots op. In het voorjaar van 2014 retweette hij met een grote glimlach nog eens de finishfoto van die derde juli in 1996.

Van 1994 tot 2003 was Saugrain prof, maar ook na die ene dag boekte hij geen aansprekend resultaat meer. In geen van zijn twee Rondes van Frankrijk, in 1996 en 1997, bereikte hij de eindstreep. Dat maakte Saugrain in 2013 goed. Als co-commentator van de RTBF-equipe haalde hij Parijs.

Nelissen wist van de drie Tours die hij reed, er wel twee uit te rijden. Ook in 1996. Een ritzege behaalde hij echter nimmer. Hij had zijn kans verprutst.

QUIZVRAGEN TOUR 1996

❶ In de top tien van de proloog waarmee de Tour van start ging in Den Bosch eindigden héél veel renners die ooit een grote ronde wisten te winnen. Hoeveel kennen we er?

❷ De eersten onderweg zijn lang niet altijd ook de eersten aan de streep. Het was niet eens kantje boord, zei de man, terwijl hij zich zuchtend op de brits naast de rennersbus liet zakken om bij te komen van de vermoeienissen. Een crypto over wie?

----

❸ Welke Nederlander reed deze Tour een dag in de witte trui?

----

❹ 'Het is mijn eerste Tour de France en dus ook mijn eerste ritzege. Dit is heel bijzonder, ik realiseer me niet wat ik zojuist heb gerealiseerd', sprak de winnaar van de vierde rit, die met Rolf Järmann, Danny Nelissen, Stéphane Heulot en Mariano Piccoli een hele dag op pad was geweest. Wat is de naam van deze Fransman?

----

❺ Op de dag dat Michael Boogerd won in Aix-les-Bains kneep een man onderweg in de remmen die hij later in een grote klassieker nipt wist voor te blijven? Wie zou dat zijn geweest?

----

❻ Dui– Fra – Ita – Oez – NL – Oek – Den – Ita- Fra – Ita. Dit zijn de nationaliteiten van de top tien in het punten- klassement van de Tour in 1996. Zet er de namen maar bij.

----

❼ Wat was de overeenkomst tussen Roberto Conti en Jean-Claude Colotti in deze ronde?

----

❽ 'Ongelooflijk wat die man heeft gedaan. Hij reed ons in z'n eentje allemaal op vijftig seconden, terwijl wij volle bak achtervolgden', sprak Laurent Dufaux vol bewondering. En zijn ploegmaat: 'Vandaag heeft hij laten zien dé patron te zijn van het peloton.' Wie bedoelden deze twee renners?

----

⑨Een Deense winnaar van de Tour, dat was nog nooit gebeurd. Welke Deen wist zich ooit als eerste in de top tien van de Tour te rijden? Welke Denen gingen Riis vooraf als dragers van het geel?

---

⑩Michael Boogerd won zoals gezegd een etappe. Dezelfde dag beklom nog een ploegmaat van hem het podium. Wie en waarom?

Michael Boogerd

1997

Gerrit de Vries op zijn tandvlees

In de uitslagen was het even zoeken. Maar daar stond hij toch: 125e, lager dan alle voorgaande edities. Gerrit de Vries had al zes keer eerder aan de Tour de France deelgenomen, maar ditmaal – het bleek zijn laatste deelname – was het een hele beproeving voor de tijdrit-specialist uit Oldeberkoop. 'Het uitrijden van deze Tour was de mooiste overwinning uit mijn carrière', lispelde De Vries in Parijs. Hij herinnerde zich de voorgeschiedenis maar al te goed. Bijna dood was hij gevallen, in de Driedaagse de Panne. 'Mijn helm was op vijf plaatsen gebroken, aan mijn hoofd was alles kapot. Vijf tanden en twee kiezen uitgerukt. Er zat bloed tussen mijn hersenen en schedel.'

De Vries besefte dat hij veel geluk had gehad, lag lang in het ziekenhuisbed, maar stapte wel weer op. En wilde per se naar de Tour. 'Ik had er dag en nacht voor getraind.' Aanvankelijk dacht hij zich vooral leeg te moeten rijden voor Luc Leblanc, maar de kopman van Polti viel al snel uit. Vervolgens kwam er een hoger doel. 'Ik stond in de bergen vier keer op het punt om af te stappen. Maar ik vond dat ik het niet kon maken. Ik had in het ziekenhuis zoveel pijn geleden, dat afzien op de fiets deed me niets meer.'

Eenmaal in Parijs – Polti had amper wat verdiend – wist De Vries waarvoor hij het gedaan had: een Tourdeelnemer, en zeker eentje die lijdend Parijs haalde, kon

in die tijd zijn salaris flink opkrikken in de criteriums.
'Daar moest ik mijn nieuwe tanden terugverdienen.'

--- **1997** ---

Mario Traversoni nooit als eerste over de streep, toch ritwinnaar

De Italiaan Mario Traversoni behoort tot een wel heel
select gezelschap. Nooit kwam hij als eerste over de
streep in een Touretappe. Sterker, dichter dan een
derde plaats kwam hij nooit.
Toch staat hij in het rijtje etappewinnaars. In Dijon
kwam een sprookje uit voor de sprinter. Als renner
van de Mercatone Uno-formatie was Traversoni, naar
achteraf bleek, bezig aan het beste jaar uit zijn loopbaan. Maar zozeer het op vrijdag 25 juli 1997 meezat,
zo veel geluk had hij nooit meer. Uit het wiel gereden
door Jens Heppner en Bart Voskamp kreeg Traversoni
als derde aankomende de ritzege toegewezen door
aankomstrechter Martin Bruin en de rest van de jury.
Die deklasseerde namelijk zowel 'ritwinnaar' Bart
Voskamp als nummer twee Jens Heppner vanwege het
afwijken van de rechte lijn in de spurt. Het duo kwam
letterlijk schouder aan schouder over de streep.
Het is nog altijd een zwarte bladzijde in Voskamps
wielerloopbaan. 'Ik ben bestolen', zei Voskamp na de
beslissing. 'Ik ben geflikt. Het probleem lag niet bij
Heppner of bij mij. We raakten gewoon uit balans en
kwamen daarbij tegen elkaar aan. Het grote probleem

in deze Tour was de
jury, het lag niet
aan de renners, Hoe
konden we na drie
loodzware weken de
fietsen nog keurig
recht houden?'
Voskamp had bij zijn
tirade duidelijk ook
eerdere deklasserin-
gen in gedachten.
Eerder in de Tour
van 1997 was ook al
twee keer ingegrepen
door de jury. Zabel
moest een sprintzege
inleveren en Sergej
Oetsjakov werd
ook al teruggezet
na onreglementair
spurten.

Mario Traversoni

Rudy Pevenage had overigens de overwinning voor
Voskamp nog veilig kunnen stellen. De ploegleider van
Telekom, Heppners werkgever, liet het aan de Duitse
coureur over om eventueel protest aan te tekenen.
Pevenage, bewust van hetgeen Telekom die ronde al
gewonnen had: 'Ik had het niet gedaan. Maar toen Jens
het wilde, kon ik niet anders.' Dat de Duitser zelf ook
teruggezet werd, had hij allicht niet kunnen bevroeden.
Traversoni, die overigens de sprint van twaalf door
Heppner en Voskamp geloste coureurs won, was ook

volledig verrast. 'Ik ging naar de dopingcontrole in
de veronderstelling dat ik derde geworden was. Toen
ik weer buiten kwam, hoorde ik dat ik gewonnen
had.' Ruim een half uur na de finish werd de Italiaan
gehuldigd. Het publiek trakteerde hem – Traversoni
had het zich allicht ook anders voorgesteld – op een
fluitconcert.
Voskamp werd, o ironie, die etappe overigens wél
uitgeroepen tot strijdlustigste renner.

QUIZVRAGEN TOUR 1997

❶ Zijn naam zei mensen niets, zijn erelijst nog minder.
Maar hij werd wel mooi vijfde in de proloog van de Tour in
1997, net voor zijn landgenoot Rolf Sørensen. Tussen 1990
en 2000 stond hij als prof geregistreerd, maar nooit won hij
een koers. Zijn ploegen? TVM, Telekom, US Postal en
Fakta. Bij wie hoort deze informatie?

----

❷ Zes etappes achtereen hield Mario Cipollini de gemoe-
deren bezig in de karavaan. Wat was er aan de hand?

----

❸ 'Via dit communiqué maken we bekend dat de coureur
.... uit koers is genomen wegens een positieve dopingcontrole na afloop van de tweede etappe'. Het product waarop
de renner werd gepakt, was clenbuterol. Wie viel er door de
mand?

----

❹ Richard Virenque liet zich na afloop van de Tour in 1997
weer eens kronen tot de beste klimmer. Toch was niet hij

Richard Virenque in de bolletjestrui.

het vaakst als eerste op de top van de beklimmingen, maar een ploeggenoot. Wat is zijn naam?

⑤ Nicola Minali, wie kent hem niet? Hij won in de Tour van 1997 twee ritten. Voor welke Italiaanse ploeg reed hij? En welke andere Italiaanse stallen deden mee aan deze Tour?

⑥ Nee, homo was-ie niet. Bij Feyenoord liep trouwens ooit een voormalige Spartaan die ook zo heette, al is het logisch dat hij iedereen bij La Mutuelle de Seine et Marne kon verstaan. Deze crypto hoort bij.........?

⑦ Twee klimmers, twee keer zelfmoord, en beiden behorend tot de top tien van deze Tour in Parijs. Over wie spreken we dan?

⑧ Telekom, Mercatone Uno, Banesto, Mapei-GB, Kelme, Festina, Rabobank en Casino vormden samen de top acht in het algemeen ploegenklassement. Zet ze in de juiste volgorde.

⑨ Philippe Gaumont, Mario Traversoni, Andrea Peron, en José Luis Arrieta: vier renners uit het eindklassement; 56e, 100e, 75e en 139e: vier klasseringen; Française des Jeux, Cofidis, Mercatone Uno en Banesto: vier ploegen. Koppel de namen aan de juiste klassering en ploeg.

⑩Jan Ullrich volgde ploegmaat Bjarne Riis op als eindwinnaar, Richard Virenque en Marco Pantani mochten hem flankeren op het podium. De top zes bestond verder uit de renners met de volgende initialen: AO, FE, FC. Waar staan deze lettercombinaties voor?

- -

QUIZVRAGEN TOUR 1998

❶Nog voor de eerste meters waren gereden van deze ongemeen 'explosieve' Tour gonsde het al van de geruchten over grootscheepse dopingprojecten. Daarover later meer. In Dublin werd er eerst een hoop herrie gemaakt over een ander onderwerp dat ook met 'vals spelen' te maken zou hebben. Waar ging deze kwestie over?

- -

❷51. Boogerd, 53. Den Bakker, 55. McEwen, 57. Van Bon en 59. Zberg. Wie ontbreken er in de Tourploeg van Rabobank van 1998?

- -

❸Daniel Mangeas is de 'voice' van de Tour. De etappeaankomst in Albertville, gewonnen door Jan Ullrich, was de hoeveelste etappe die hij van commentaar voorzag? [A] 400e [B] 500e [C] 600e of [D] 700e

- -

❹De 'Tour du Dopage' begon uiteraard met de ontdekking van de auto vol medicamenten die Willy Voet bestuurde. Festina werd het mikpunt van alle aandacht, maar er kwam ook een Italiaan zwaar onder vuur te liggen nadat er bij hem op de hotelkamer corticoïden werden gevonden. Zijn bijnaam luidde 'De Apotheker' en hij droeg ten tijde van de politie-inval de bolletjestrui. Wat is zijn naam?

----

❺De zestiende etappe die in Albertville arriveerde, markeerde ook het einde van deze Tour voor twee ex-winnaars van Parijs-Roubaix. De ene stapte die dag niet eens meer op, de ander hield het halverwege voor gezien. Wie waren dat?

----

❻Toen de Tour weer vanuit Zwitserland (La Chaux-de-Fonds) naar 'huis' ging, bleef een TVM-kwintet achter in het hotel waar de ploeg verbleef. Laurent Roux, Jeroen Blijlevens, Steven de Jongh, Serguei Ivanov, Servais Knaven, Lars Michaelsen, Serguei Outchakov, Peter van Petegem en Bart Voskamp maakten deel uit van het team. Wie waren eerder afgestapt?

----

❼De Tour is vooral van Frankrijk. Alleen, dat geldt niet voor alles. In 1998 werd bijvoorbeeld het ploegenklassement voor de laatste keer opgeëist door een Franse formatie. Was dat [A] Festina [B] Casino [C] Cofidis [D] GAN?

----

❽Zabel, Rinero, Heulot, Pantani, Steels, Tafi, Ullrich, Julich, Elli, Pantani, Durand, O'Grady. Dit zijn hoog geklasseerden in respectievelijk het algemeen klassement, de puntenrangschikking, de bergranking en het klassement van de strijdlust na de Tour van 1998. Breng de namen onder in de juiste rangschikking en zo mogelijk op de juiste plaats.

----

⑨Gokken ging er prima, maar vette snacks waren streng verboden. Daar ergerde hij zich zo aan dat er een dag dynamiet ontplofte en hij meer geel dan groen zag. Deze crypto betreft...?

⑩Met spectaculaire politierazzia's, de eliminatie van een hele ploeg en het uit voorzorg opstappen van complete teams kwam er een beschamend klein peloton aan in Parijs. Uit hoeveel coureurs bestond die groep nog?
[A] 131 man [B] 111 man [C] 100 man [D] 96 man

QUIZVRAGEN TOUR 1999

❶De rentree van 'The Boss' in de Tour. Lance Armstrong zou de ronde zeven jaar lang domineren, maar is vanwege dopinggebruik zijn zeges kwijtgeraakt. Wie waren eigenlijk zijn zogenoemde runners-up al die jaren, dus de nummers 2?

❷De ploeg van Rabobank wilde in deze Tour het spel heel zuiver spelen en nam een in Frankrijk gevestigde, Nederlandse huisarts mee. Wat was zijn naam?
[A] Kees Kooi [B] Peter Plag [C] Nol Jansen [D] Jan Zwier

❸Twee keer een zevende plaats in een rit waren de beste klasseringen van deze Fransman die na drie weken toch netjes als derde stond vermeld in het puntenklassement. Zijn ploeg was Big Mat, zijn rugnummer 193, zijn eindklassering in Parijs 115e en zijn voornaam luidde Christophe. En verder?

❹Nederland was buitengewoon matig vertegenwoordigd, met slechts zes renners. Welke landen hadden meer deelnemers in de strijd?

❺In het peloton waren twee Italiaanse broers actief als ploegleider en twee Franse broers. De Italianen heten Algeri van achteren, de Fransen luisteren naar de naam Madiot. Wat zijn hun voornamen?

⑥Rabobank beëindigde de Tour met zeven man: Boogerd, Dekker, Den Bakker, Jonker, Lotz, McEwen en Zberg. Zet hun namen in de juiste volgorde van plaats in het eindklassement.

----

⑦Het overblijfsel van een kers blijft ruim een week goed. Groen was meer zijn kleur en Parijs bleek een onhaalbare optie. Geef de naam bij deze crypto.

----

⑧De bergtrui behoorde in Parijs Richard Virenque toe. Er was slechts één andere renner die het bolletjestricot gedurende negen dagen mocht dragen. Dat was [A] Alberto Elli [B] Mariano Piccoli, [C] Andrea Peron [D] Gian-Paolo Mondini.

----

⑨Het hoogtepunt voor Oranje: de achtste plaats in een etappe voor Marc Lotz. Hier zijn de zeven namen die hem voorafgingen. Zet ze in de goede volgorde: Etxebarria, Elli, Simon, De Wolf, Castelblanco, Bessy, Lelli.

----

⑩Erik Zabel eigende zich weer een groene trui toe. Met hoeveel ritzeges luisterde hij die prijs op? [A] 0 [B] 1 [C] 2 [D] 3?

GEEN JOUR
ZONDER TOUR

TOUR DE FRANCE

2000-2014

QUIZVRAGEN TOUR 2000

❶ Dekkers Tour, dat mogen we wel zeggen van 2000. Drie keer was het raak, en met de ritzege die Leon van Bon behaalde, kwam Rabobank heel sterk voor de dag. Er was nog een ploeg die vier keer een dagprijs bejubelde, en een daarvan kwam op naam van Stefano Zanini. Voor welk team reed hij?

----

❷ De eerste ritzege van Dekker had wel een schaduwzijde voor een andere Nederlander. Die kwam in Villeneuve-sur-Lot nogal laat aan de finish en kon wegens tijdsoverschrijding naar huis. Hoe heette deze krachtpatser?

----

❸ Een Engelse dienstklopper zou best op z'n plaats zijn geweest. Hoe bedoel je: daar sta je dan, met echt lege handen? Laat de benen dan ook spreken! Welke renner gaat achter deze crypto schuil?

----

❹ Richard Virenque kwam tachtig punten tekort om nog eens een bolletjestrui mee te nemen naar huis. Hij eindigde als derde in het bergklassement, achter twee ploegmaten van Kelme. Wie waren dat?

----

❺ Nederland-België in het algemeen klassement werd een afgang voor Oranje. Vijf Belgen finishten korter dan de eerste Nederlander, Maarten den Bakker (49e). Hun voornamen luidden: Kurt, Geert, Nico, Mario en Marc. Geef de achternamen erbij.

----

❻ Walter Godefroot, Rudy Pevenage, Guido Bontempi, Hendrik Redant, Claude Criquielion, Jean-René Bernaudeau en Johan Bruyneel (foto) waren in deze Tour bij

verschillende ploegen actief. Samen
wonnen ze negentien etappes. Hoe was de
verdeling?

⑦ Armstrong vond in Parijs dat deze
Tourzege hem de minste moeite had
gekost. Toch sneuvelde hij haast in de
Alpen door een hongerklop. Op welke
legendarische col was dat?

----

⑧ De Col d'Izoard was op 15 juli de slotbeklimming in de
veertiende etappe. Richard Virenque deed over de veertien
kilometer lange klim 41 minuten en 35 seconden. Leon van
Bon was de langzaamste. Hoeveel tijd verloor hij ten
opzichte van de Fransman op die berg?
[A] 35 minuten [B] 32 minuten, 4 seconden
[C] 30 minuten, 33 seconden [D] 28 minuten,
52 seconden

----

⑨ Deze Tour begon met een individuele tijdrit over 16,5
kilometer. Een aparte vogel met sprintersbenen meldde zich
na afloop voor de bergtrui die hij tot in de vijfde rit om de
schouders had, met de totaalscore van slechts vijf punten.
Als de spreuk 'in het land der blinden is eenoog koning' ooit
van toepassing is geweest, was het in dit geval. Welke
renner was spekkoper?

----

⑩ De top vijf van het klassement. Vul de ontbrekende
elementen in:
1. Lance Armstrong (VS-...)   4. Christophe ..... (...-Fes)
2. Jan Ullrich (Dui-Tel)   5. .... (Spa-Kel)
3. ...... Beloki (Spa-...)

Fabrieksarbeider Serge Baguet: van bierbuikje naar bloementuil

Hij kende de ronde. Welzeker. Uit een vorig leven feitelijk. Maar zo mooi als op donderdag 26 juli 2001 was het eerder niet geweest. Daar stond hij dan toch maar: Serge Baguet. Met de bloemen. Op het podium. In de Tour de France. Ritwinnaar. Hij, de man die twee jaar ervoor nog op daken klom, zijn fiets niet meer aanraakte én met zijn maten en collega's uit de fabriek bier dronk. Veel bier.

Van 1991 tot en met 1996 was Serge Baguet beroepsrenner. Het bracht hem naar eigen zeggen weinig. Althans, de zilvervloot voer niet binnen. Het aanbod van zijn schoonvader om in diens bedrijf aan de slag te gaan, als dakbedekker, kon Baguet dan ook welhaast niet afslaan. En dus stalde hij in de winter van 1996 op 1997 de fiets in de schuur en ging hij het dak op. Als jeugdrenner was het hem allemaal erg makkelijk afgegaan. Hij won – zonder al te grote inspanningen – veel, zo niet alles. 'Ik won hoe ik wilde, ik was de beste van het land.' Maar dat bleek geen garantie voor veel succes als beroepsrenner. Oké, ritjes in de Ronde van de Limousin, niet de makkelijkste ronde toch, en in de Ronde van Groot-Brittannië stonden al op zijn palmares, maar na vijf seizoenen Lotto en een jaartje Vlaanderen 2002 was het gedaan. De lol was eraf. Hij was het zat niet meer te winnen.

Baguet kon zich ook niet voorstellen ooit weer op te stappen. Aanvankelijk miste hij het harde labeur niet. Integendeel. Hij kon nu ongeremd eten, meer drinken, later
naar bed. En allicht verdiende hij ook nog eens meer.
Totdat hij zich, het was inmiddels 1999 en alweer
drie jaar na zijn pensionering, door Mario de Clercq
en Scott Sunderland liet overhalen toch
maar weer eens wat aan zijn conditie te
doen. Eenmaal weer op het 'rechte pad'
met zijn maten, groeide de goesting snel.
En prompt maakte Baguet zijn rentree, in
2000. Terug bij Lotto. 'Ik ben er meteen
voor de volle honderd procent voor gaan
leven.' Het jaar erop werd zijn beste. Derde
in de Amstel Gold Race, winnaar van de
Druivenkoers. En dus, op die ene dag,
ritwinnaar in de Tour. In Montluçon zwaaide hij plots
weer met de bloemen.

Die ochtend was hij op pad gegaan met zestien man,
in de verzengende hitte. De een na de ander viel af,
sneuvelde. Baguet niet, die wist – na enkele jaren op
het dak – inmiddels wat echt hard werken was. Jakob
Piil en Massimiliano Lelli konden het langst volgen,
maar Baguet liet zich in de slotkilometers niet meer
verrassen. 'Ik voelde me weer sterk, wist ergens in mijn
achterhoofd dat ik ooit nog eens een grote koers kon
winnen.'
Op 11 september 2007 kneep Baguet, 38 inmiddels,
gewezen nationaal kampioen (2005) en rijdend in het
shirt van Quick Step, de remmen dicht. Nu was hij echt
prof-af.

Maar de fiets, dic bleef hij trouw. Sinds enkele jaren heeft Baguet een evenementenbureau, en gaat hij onder meer naar Spanje met wielerliefhebbers.

2001

Marc Wauters, liefst zo snel mogelijk weer knecht

Een toevalstreffer. Zo omschreef Marc Wauters het later zelf. Ooit op de fiets gestapt om successen te behalen, bleek Marc vooral een voorbeeldig knecht. Een trouwe helper, die daar zelfs een eretitel mee verdiende. Soldaat.

Marc Wauters sprint naar zijn overwinning in de tweede etappe van 2001 én de gele trui.

Maar in 2001 was Marc Wauters even de Generaal.
En dat beviel hem maar matig. Die toevalstreffer,
een ritzege in de Tour, zette zijn wereld op de kop. In
Antwerpen had hij de Belgische wielerfans gek gemaakt,
was hij eigenaar geworden van een diamant van vele
tienduizenden euro's en had hij koning Albert de hand
geschud.

Wauters had, op weg van Calais naar Antwerpen, die
dag de stoute schoenen aangetrokken, Erik Dekker had
hem daarbij de weg gewezen. Op dertig kilometer voor
de streep waren de twee weggesprongen, tien man
sloten aan. Een eerder vluchtgroepje werd ingerekend.
Met nog een kilometer te gaan, gaf Dekker het signaal

om nogmaals te gaan. Het leverde Wauters ritwinst,
geel én een hoop gekrakeel op.
Wauters had namelijk in Antwerpen een kostbare
diamant gewonnen, die hij prompt aan zijn vrouw Krista
had beloofd. Dat ging de rest van de Rabobank-ploeg
echter iets te ver. Tuurlijk gunden ze Marc zijn succes,
maar velen wilden wel meedelen in de winst. Het leidde
tot oeverloze discussies aan de eettafel.
Toen Adri van Houwelingen de volgende morgen terugkeerde in de ronde - hij was even naar Nederland gewipt
om de ploegleidersauto te laten maken - wist-ie van
niks. Alleen zag hij wel dat de drankrekening nogal aan
de hoge kant was. Dat kon natuurlijk zijn omdat het
succes van Wauters was gevierd, maar ook door het
lange natafelen en discussiëren over het pronkjuweel.
De gele trui was sowieso een onbetwiste én prachtige
bonus. Voor de ploeg én voor Wauters. Vooral ook omdat
de Tour de dag erop door zijn eigen Lummen zou rijden.
Wie kon dat nu zeggen, dat hij tijdens de koers zijn
dorpsgenoten kon begroeten, in het geel nota bene.
Vijf jaar lang hadden coureurs uit de Rabobank-ploeg het
tricot nagejaagd, maar uitgerekend de man die het voor
anderen mogelijk had moeten maken, kreeg die nu om
de schouders.
Wauters dacht dat hij het geweldig zou vinden, als kind
had hij nota bene tijdens de Tour met een geel T-shirt
aan door de Thierwinkelstraat gescheurd.
En diep in zijn hart vond hij het natuurlijk prachtig.
Maar het benauwde ook. Eén dagje voerde hij het
commando, om daarna al snel verder te gaan als Gene-
raal-buiten-dienst. Terug in het gareel, weer uit het

geel. En terug als knecht. Hij was er doodmoe van, het geel en de bijbehorende verantwoordelijkheden hadden zijn hoofd op hol gebracht. Tuurlijk was het prachtig om zijn woonplaats Lummen binnen te rijden, om vrouw-lief Krista en zijn zoontjes Seppe en Bram te knuffelen, maar als hij het de volgende keer anoniem kon doen, dan was hem dat net zo lief. Wauters hield zich liefst ergens verscholen in het peloton, uithijgend van het ophalen van bidons of het uit de wind houden van een kopman. Liever dan voor eigen gewin fietste hij zich uit de naad voor anderen. Knapte hij vuil werk op voor de kopmannen. Dienstbaar. Onbaatzuchtig.

Wauters, de laatste jaren actief als ploegleider, sleet het grootste deel van zijn rennersloopbaan in Nederlandse dienst: in 1994 bij Wordperfect, het jaar erop onder Novell-vlag. Ervoor en erna zat hij bij Lotto. En vanaf 1998 tot zijn pensionering in 2006 bij Rabobank.

Theo de Rooij, jarenlang zijn ploegleider: ,,Marc was niet de man die zelf veel verantwoordelijkheid moest krijgen. Hij rendeerde vooral wanneer de taken perfect afgebakend waren.''

QUIZVRAGEN TOUR 2001

❶ Twaalf dagen mocht Stuart O'Grady rondrijden in het groen. Op de slotdag van de Tour moest hij het kleinood afstaan aan een concurrent. Aan wie?

[A] Robbie McEwen [B] Baden Cooke
[C] Erik Zabel [D] Alessandro Petacchi

❷De slotrit werd dus een echt titanenduel van twee
honden, terwijl een derde met het winnende been heen
ging. Het betekende zijn derde en laatste Touretappe van
zijn carrière. Over wie hebben we het?

----

❸De goedlachse Ludo Dierckxsens vormde samen met nog
een landgenoot de Vlaamse inbreng bij Lampre tijdens deze
Tour? Wie was dat?

----

❹Slechts één ploeg arriveerde compleet aan de finish van
de ronde. Sylvain Chavanel behoorde tot die stal, Jean-Cyril
Robin en Didier Rous eveneens. Wat was de naam van het
Franse team?

----

❺Andrei Kivilevs naam blijft onlosmakelijk verbonden aan
deze Tour. Deze Kazak maakte deel uit van een bijzondere
vluchtgroep die een reuzengat sloeg met een lamlendig
peloton. Voor welke ploeg reed Kivilev, waar eindigde de rit
die hem in een zetel bracht en wie won 'm?

----

❻Het geel om de schouders haalde onvermoede krachten
naar boven bij Kivilev. Hij bleef lang uitzicht houden op het
podium, maar viel er toch net naast. Welke drie renners
lieten hem alsnog 'in het stof' bijten?

----

❼Voor de aanvaller liep het twee jaar later slecht af.
Hij overleed aan zijn verwondingen na een crash. In welke
wedstrijd gebeurde dat?

----

❽Ontdek de logica in deze (cijfer)reeksen: 1-1e ; 51-10e ;
131-CST- 258; Sevilla-Mancebo-Jaksche-Menchov;
VS-Spa-Rus-VS-VS-Noo-Col-Spa-VS.

⑨ Felice ontnam hem altijd het zonlicht, maar toen hij zelf dicteerde werd het ijzig stil. Michele, Fabio, Danilo, Gilberto en nog veel meer waren als zonen. Wie is er uit deze crypto te halen?

----

⑩ De eerste winnaar van de witte trui in deze Ronde van Frankrijk had dezelfde achternaam als een dikwijls verguisde, maar goed terechtgekomen ex-linkspoot van Feyenoord. Wie wordt er bedoeld?

2002

Raimondas Rumsas: mag het een teentje meer zijn?

Ze wilden liefst geen van allen een kamer met hem delen. Niet dat Raimondas Rumsas nu zo'n onplezierig heerschap was. Integendeel, je had verbaal geen last van hem. De Litouwer was eerder wat verlegen, stilletjes. Maar Raimondas had, ontdekten zijn ploeggenoten van Lampre, één heel onhebbelijke gewoonte. Rumsas scheen er de boekjes op nagelezen te hebben en

verklaarde dat het écht heel gezond was. Om het bloed
te zuiveren at hij, het liefst rauw, knoflook. En niet
één teentje, maar eerder een hele bol. Pietro Algeri, als
ploegleider toch vooral belast met het bedenken van
tactische concepten, had zodoende iedere etappekoers
weer een hele klus bij de kamerindeling. 'Raimondas
beweerde altijd dat knoflook het bloed zuiverde, dat hij
erbij zwoer. Maar het gevolg was wel dat anderen het
niet prettig vonden om met hem een kamer te delen.'
Het was dan ook weer een heel gepuzzel voor Algeri in
2002. Nadat Lampre de Tourselectie bekend gemaakt
had, begon het al voor Algeri. Legde hij Rumsas samen
met een collega op een kamer, zoals gewoon was, of
mocht de nieuweling apart liggen? Het werd het laatste.
Gevolg was wel dat Rumsas op andere momenten moest
worden bijgepraat. Want van de Tour had Rumsas eigenlijk geen kaas gegeten.

Het evenement was hem lang vreemd. In zijn jeugd
kreeg beginnend coureur Rumsas namelijk maar weinig
mee van de Tour. Beelden werden in Litouwen niet
uitgezonden, slechts de krant gaf hem nog enige info.
Aanvankelijk wilde het ook helemaal niet vlotten met
zijn wielercarrière, had het er alle schijn van dat hij –
met zijn broer – in de veel lucratievere autohandel zou
gaan. Rumsas was al dertig toen hij in 2002 debuteerde
in de Tour. Het was wel meteen raak. Verrassend. Want
slechts één keer eerder had hij een grote ronde gereden, de Vuelta van 2000, en de ploeg om hem heen was
ronduit zwak.

In de tijdritten had hij zijn ploegmaten echter niet
nodig. En pakte hij, zelfs ondanks een losgeschoten

stuurpin in de chrono van Régnié-Durette naar Mâcon, veel tijd op de concurrenten.

Het gevolg van de matige ondersteuning door ploeg- maten was dat Rumsas in de bergen zich vaak af moest laten zakken naar de auto's om zelf eten en drinken te halen. Meer dan volgen zat er vervolgens niet in. Rumsas deed dat echter beter dan menigeen, bergop zat hij steevast aan het wiel van Lance Armstrong geplakt. In Parijs nam hij zodoende de laagste tree van het podium in. Dat was trouwens geen unicum voor een coureur uit een van de Baltische staten. De Let Pjotr Oegroemov ging hem in 1994 voor, door als tweede te eindigen achter Miguel Indurain.

De Baltische vreugde rond Rumsas duurde overigens niet lang. Een dag na de Tour al werd hij door Lampre op non-actief gezet. Het vermoeden bestond dat hij meer dan wat teentjes knoflook tot zich had genomen. In de auto van Raimondas' vrouw, Edita, waren dopingpro- ducten gevonden. Het jaar erop werd Rumsas daadwer- kelijk in koers betrapt, waarna zijn carrière volledig in het slop raakte.

Niettemin wist hij nog zijn brood op de fiets te verdie- nen. Diverse sponsors zagen er wel wat in hem op te stellen in Gran Fondo-koersen. Deze sportieve fietstoch- ten met een serieus wedstrijdelement, met een gigan- tisch startveld en vaak ook een flink gevulde prijzenpot, werden Rumsas' werkterrein. Tegen een fatsoenlijk salaris reed én won Rumsas er – zelfs terwijl hij de veer- tig al lang gepasseerd was – een flink aantal. Ook andere dopingcoureurs als Dario Frigo, Riccardo Ricco en Frank Vandenbroucke namen overigens geregeld deel aan die

koersen, om geld te verdienen en in eigen sportieve
behoeftes te voorzien.
Schrik trouwens niet als de naam Raimondas Rumsas
dezer dagen weer in de uitslagen van een echte koers
opduikt. Zoonlief is een talentvolle belofte.

2002

Robbie McEwen: Armstrong ziet groen van jaloezie

De Australische ambassadeur William Fisher had er zijn
burelen voor verlaten, was naar de Champs-Élysées
gekomen. Het was dan ook niet niks. Voor het eerst
greep een Australiër een trui in de Ronde der Rondes.
De Australiërs jaagden al wat jaartjes op het groen.
Maar Erik Zabel had het, op eigen kracht, telkens weten
te voorkomen. In 2001 had de Duitser nog in extremis
Stuart O'Grady weten te kloppen, en zijn zesde opeen-
volgende groene trui veroverd. In 2002 echter kon
Zabel het niet meer alleen af. En kreeg hij steun van
Lance Armstrong in hoogst eigen persoon.
Dat had zo zijn redenen. Armstrong, die leefde op
de door kleine affaires opgewekte adrenaline, gunde
McEwen niks. De reden was schijnbaar onschuldig.
In 2000 had McEwen in de ogen van de Amerikaan op
weg naar Morzine een onvergeeflijke fout gemaakt.
De Australiër was gedemarreerd op het moment dat
Armstrong langs de kant van de weg stond te plassen.
Armstrong had het dondersgoed onthouden, want het
was een etappe waarin hij nota bene ook op de Joux

Plane nog in de moeilijkheden was gekomen. 'Sindsdien had Armstrong iets tegen me', zuchtte McEwen. In Parijs had hij slechts met kunst- en vliegwerk Zabel weten af te weren. 'Er stonden misschien wel een miljoen mensen op de Champs-Élysées, maar ik zag er die dag maar eentje: Zabel.'

Een tussensprintje eerder op de dag, na 54 kilometer koers, had het pleit feitelijk beslecht. McEwen had al 239 punten, Zabel 238. Telekom trok de sprint voor Zabel aan, maar McEwen plaatste een verrassend vroege tegenaanval. Door de wind heen passeerde McEwen vijf renners van de roze trein. Het had een psychologisch effect. Zabel had dan weliswaar de hulp van zijn eigen ploeg én Armstrongs brigade, hij wist dat de Australiër sneller was. Op de Champs-Élysées bevestigde McEwen dat door ook de eindsprint te winnen.

De overwinning van McEwen luidde overigens een heel groene periode voor de men from Down Under in. McEwen won zelf nog eens twee keer, Baden Cooke was de regelmatigste in 2003. Al met al wonnen de Australiërs tussen 2002 en 2006 vier van de vijf groene truien.

Net als in 2002 werd ook in 2003 de strijd pas in Parijs beslist. En ditmaal was het zelfs een geheel Australisch onderonsje. Al vanaf de start in Parijs, letterlijk onder de Eiffeltoren, zetten de Australiërs de toon. Bradley McGee won de proloog en kreeg het geel omgehangen. Hij moest dat tricot na drie dagen weer inleveren, het groene shirt bleef wél vrijwel onafgebroken in Australische handen. Zowel McGee, McEwen als Cooke waren (in het geval van McGee op papier) drager van de sprint-

trui, slechts één dagje was het tricot Italiaans bezit
(Alessandro Petacchi). Op de Champs-Élysées besliste
Cooke de strijd in zijn voordeel (216 om 214 punten)
door, achter de verrassende ritwinnaar Jean-Patrick
Nazon, tweede te worden. McEwen spurtte naar de
derde stek en verliet Parijs in een Lotto-Domo-shirtje.
In 2003 overigens won Cooke ook, in de straten van
Sedan, zijn enige Touretappe. McEwen verrijkte zijn
palmares uiteindelijk met twaalf ritzeges.

QUIZVRAGEN TOUR 2002

❶ Lance Armstrong won de proloog in Luxemburg met
1 seconde voorsprong op de nummer 2, maar onderweg,
na 3,5 km, waren er twee renners nog sneller dan hij. Wie
waren deze Fransman en Australiër?

----

❷ De lange tijdrit van 2002, afgewerkt tussen Lanester en
Orient, leverde een top zeven op van mannen die allemaal
binnen een minuut van elkaar eindigden. Zet hun voornamen
in de juiste volgorde, de snelste op plaats 1: Lance,
Santiago, Laszlo, Igor, Raimondas, David en Serhiy.

----

❸ In de top twintig van die chronorace kwamen opvallend
veel Oost-Europeanen voor. Noem er zoveel mogelijk.

----

❹ Zo ben je haantje de voorste, zo sluit je de rij. In de
beloning voor de arbeid, maar dan anders gezegd, zit de
naam van deze crypto-gast.

⑤ Vanaf rit 3 tot en met rit 8 reed Thor Hushovd (foto) rond als de hekkensluiter in het algemeen klassement. Wat was daarvan de reden? [A] Een steenpuist zat hem dwars [B] in rit 2 kreeg hij als lid van de kopgroep last van krampen en kon hij lange tijd niet meer verder [C] de Noor had tien minuten straftijd gekregen wegens reglementair sprinten [D] vier lekke banden in de eerste etappe wierpen hem ver terug.

- -

⑥ Richard Virenque triomfeerde op de Mont Ventoux, een Oostenrijkse berggeit staakte als enige de strijd die dag. Wie zou dat zijn geweest?

- -

❼ Wat was de naam van de rondearts die jarenlang als het 'opperhoofd' van de Tourdoktoren fungeerde?

[A] Daniel Mangeas [B] Michael Berger
[C] Gérard Porte [D] Pascal Rivat

----

❽ Binnen drie dagen deed een Belg van zich spreken in bergritten, door twee keer als tweede te finishen. Op Les Deux Alpes moest hij Botero voor zich dulden en in Cluses was Frigo hem te snel af. Wie was deze Vlaming?

----

❾ Als we het over Euskaltel, Tacconi Sport en Alessio hebben in het kader van de eindbalans in de Tour 2002, waarom vormen deze drie ploegen een trio?

----

❿ De top tien van het ploegenklassment zag er als volgt uit: 1. ONCE, 2. US Postal, 3. CSC-Tiscali, 4. Ibanesto, 5. Cofidis, 6. Rabobank, 7. Jean Delatour, 8. Kelme, 9. Domo-Farm Frites en 10. Fassa Bortolo. Noem de namen van de coureurs die als kopman (dus met de 1 in hun rugnummer) werden aangeduid.

Kies de juiste route

Streep de foute antwoorden weg, of kies de juiste optie, dat kan natuurlijk ook.

⁓⁓⁓⁓⁓⁓⁓⁓⁓⁓⁓⁓⁓⁓⁓⁓ **2003** ⁓⁓⁓⁓⁓⁓⁓⁓⁓⁓⁓⁓⁓⁓⁓⁓

Het luxe hotel waarin Rabobank de nacht doorbracht, leek op een kliniek waarin niemand meer viel te redden. In één klap was de formatie beroofd van zijn kopman

Michael Boogerd wint in 2002 de
zestiende etappe in La Plagne.

Michael Boogerd | Denis Menchov | Levi Leipheimer en de waardevolle knecht Bram de Groot | Karsten Kroon | Marc Lotz, die bij een valpartij in de laatste bocht voor de finish van de 1e | 2e | 3e etappe betrokken waren geweest. Ook Gricha Niermann had op straat gelegen en wist wel wie de veroorzaker van de crash was. 'Die Australische cowboy Robbie McEwen | Stuart O'Grady | Baden Cooke.'

———————————— 2003 ————————————

Bradley McGee, de trotse commandant van de Tour in 2003, betuigt zijn medeleven aan de grote verliezer van de dag, Lance Armstrong | George Hincapie | David Millar. Die heeft net de proloogwinst verspeeld door een leeglopende band | aflopende ketting | gebroken voorvork, een euvel waar nog vijf ploegmaten mee te kampen hebben gehad. Het verschil met de gelukkige Australiër? Een tel | achthonderdste van een seconde | een halve seconde.

———————————— 2003 ————————————

Een loslopende hond | smeltend asfalt | een motard die wegglijdt ontneemt de honderdjarige Tour alle spanning. De kopman van ONCE, Jörg Jaksche | Joseba Beloki | José Azevedo komt zwaar ten val in de afdaling van de Col de la Rochette | Col Bayard | Col d'Agnel en moet met diverse botbreuken de wedstrijd verlaten.

QUIZVRAGEN TOUR 2003

❶ De Nederlandse wielerfans hadden heel weinig te juichen op de openingsdag van de 100-jarigeTour. Na de proloog was het lang zoeken naar de eerste Oranje-klant. Die stond op plaats 60, met een achterstand van 23 seconden op een ietwat verrassende winnaar uit de ploeg van Française des Jeux. Geef beide namen.

----

❷ De gele trui bleef nog twee dagen na de proloog in bezit van dezelfde renner, maar ging daarna naar een voormalige ploegmaat die op de slotdag in Parijs helemaal de koning te rijk was, met een ritzege. Wie was deze Fransman met een dubbele voornaam? En bij welke formatie fietste hij in 2003?

----

❸ Víctor Hugo Peña zette Colombia in vuur en vlam: hij zag zijn ploegentijdrit bekroond met het geel. Voor welke ploeg kwam hij uit?

----

❹ Van etappe 4 tot etappe 8 vormde een Russisch trio de top drie van het jongerenklassement. Alle drie maakten deel uit van Banesto. Noem de naam en de positie.

----

❺ De eerste rit in Meaux eindigde in een complete ravage die tot de eerste twee opgevers leidde, beiden uit het team van Rabobank. Wie waren de ongelukkigen?

----

❻ Waarmee onderscheidt de coureur zich van de rest, die tot meest strijdlustige renner wordt uitgeroepen na een etappe?

----

❼ Na een proloog en zes etappes was één man al vier keer juichend door de finish gekomen. Die verwees achtereenvolgens een Australiër, een Let, een Est en opnieuw een Australiër naar plek twee. Wie waren die vier verliezers? En zet ze daarna in de juiste volgorde van het moment van stoppen.

---

❽ 'We hebben er weer één!' Nou, dat viel wel mee, Theo de Rooij, scandeerde het journaille ver buiten Parijs. Remmend naar beneden gaat namelijk niet zo snel. Welke renner zit in deze crypto verstopt?

---

❾ Fassa Bortolo had na zeven etappes nog slechts drie man in de race. Dario Cioni en Marzio Bruseghin begeleidden hun kopman verder naar Parijs. Wie was hun leider?

---

❿ Fervente dopinggebruikers (al dan niet toen al betrapt) kwamen op verschillende manieren in de aandacht. Gebruik de volgende trefwoorden als geheugensteuntje: ritzege en röntgenfoto, klimmen en geel, Gap en veldrijden, en Baskenland en winnen op dé Alp.

2004

Peter Farazijn aan de start met een houten kop

Hoofdschuddend had hij zijn valies gepakt. 'Het kon niet waar zijn, zeiden we tegen elkaar. Toch zijn we vlot in de auto gesprongen.' Driehonderd kilometer verderop

aan de zijde van zijn voortjakkerende echtgenote Sybille
bleek het echt waar. Peter Farazijn, de vrijdagavond nog
flink doorgezakt, was plots Tourdeelnemer. 'Het was
laat vrijdagavond, want gezellig in Ieper.' De Rally was
weer eens in het dorp, reden genoeg om de teugels even
te laten vieren.

Op de ochtend van de derde juli was Matthew White bij
verkenning van het proloogparcours in Luik onderuit
gegleden. Het sleutelbeen van de Australiër knapte,
bij Cofidis sloeg de paniek toe. Het was al zo'n hectisch
jaar, met politieinvallen en een maand geen competitie
vanwege dopingverdenkingen. Philippe Gaumont had
gekletst, David Millar was opgepakt en Cédric Vasseur
door de Tourorganisatie geweigerd. En dan ook nog eens
de Tour met slechts acht man beginnen vanwege White's
val, slechter kon feitelijk niet.

Vandaar dat de ploegleiding direct de landkaart erbij
gehaald had. Wie woonde het dichtst bij Luik en had nog
enigszins conditie? Wie kon je het op dit onmogelijke
tijdstip nog vragen om drie juliweken op te offeren voor
het échte werk.

Farazijn trok het 'winnende lootje'. Zeven keer eerder
had de Belg de Tour gereden. In 2000 viel hij buiten de
boot, nadien kwam hij nooit meer in beeld. Tot 2004,
tot vijf voor twaalf. Bijna letterlijk.

In een maisveld nabij Ieper, de middag was al even op
streek, rinkelde zijn mobiele telefoon. Aanvankelijk had
hij die niet eens gehoord. De voorbijscheurende auto's,
deelnemers aan de Rally van Ieper, overstemden alles
en iedereen. Tot Farazijn opnam en tegen Sybille, zijn
vrouw, de onvergetelijke woorden sprak. 'Amai, amai,

Meiske, ik moet naar de Tour. Ik moet nú naar de Tour.'
Zijn kinderen vonden het 'niet plezant. We moesten
plotsklaps weg. Zij waren liever nog even gebleven.
Maar ja, de Tour...'
Er volgde een helse rit, langs huis om even wat spullen
op te pikken, en vervolgens richting Luik. Amper een
uur had de West-Vlaming voor de laatste voorberei-
dingen. Na de (op White's tijdritfiets gereden) proloog
– waarvan het parcours hem volstrekt onbekend was –
wist hij zich 185e, drie na laatste. 's Avonds in het hotel
bekeek Farazijn hoofdschuddend de uitslag. Het stond er
echt, hij was Tourdeelnemer. Maar wat zou volgen? 'Het
parcours? Ik had feitelijk geen idee waar we naartoe
zouden gaan.' Toch koerste Farazijn op Parijs aan. In het
eindklassement vond hij zich terug op plaats 107.

QUIZVRAGEN TOUR 2004

❶Toen het peloton op 25 juli 2004 de rit beëindigde in
Parijs, hoeveel kilometer hadden de coureurs afgelegd?
[A] 3.405,3 km [B] 3.391,1 km
[C] 3.502,7 km [D] 3.289,6 km

❷Er stonden in de top tien van het algemeen klassement
twee vertegenwoordigers van een land dat zelden toppers
aflevert. Welke landen om te beginnen, en welke namen
hoorden daarbij, en om het helemaal compleet te maken hun
ploegen?

❸Hij klom als een bezetene, maar ging simpelweg niet hard
genoeg omhoog. L'Alpe d'Huez werd een marteling zonder

weerga en na het binnenkomen van Lance Armstrong wist deze Hollander van Lotto dat zijn ronde voorbij was. Buiten tijd! Wie was deze pechvogel?

❹ Wat maakte de eindzege van Armstrong extra bijzonder, behalve dat het de zesde op een rij was? [A] Niet eerder won hij vijf etappes in één aflevering [B] niet eerder zette hij de nummer 2 op meer dan een kwartier achterstand [C] niet eerder won hij ook de bergtrui [D] niet eerder verzekerde zijn ploeg zich ook van de winst in het ploegenklassement.

❺ Wie bombardeerde zich tot een voorname uitdager van Armstrong door zéér overtuigend de Dauphiné Libéré te winnen?

❻ Geen gezicht! Alleen de spiegel lacht hem dagelijks toe. Geliefd, maar zeker niet grenzeloos. Wie mag in deze crypto figureren?

❼ Doe een schatting over de eindklassering die Michael Boogerd, Marc Lotz en Koos Moerenhout hadden in Parijs. Vijf plaatsen of minder er vanaf levert zes punten op, tien plaatsen of minder betekent vier punten, en vijftien plaatsen ernaast is goed voor twee punten.

❽ Iban Mayo kon na de derde etappe de beoogde eindzege al vergeten. Zijn crash op de Noord-Franse keien was, na een eerdere dreun, de doodsteek. Wat was de eerste tegenslag? [A] Een lekke band in de proloog [B] zes van de negen renners werden ziek na de eerste etappe [C] een ploegmaat 'overleefde' de gezondheidscontrole voor de start van de Tour niet [D] zijn broer was niet geselecteerd voor de Tourploeg.

⑨2004, het jaar waarin een gewezen Nederlandse Tourcoryfee plotseling het leven liet. Gerrie Knetemann overleed tijdens een mountainbiketocht door de duinen. Hoeveel jaar was het toen geleden dat hij voor het laatst de Ronde van Frankrijk had gereden?

⑩Nog ekele vragen over 'De Kneet': bij welke ploeg debuteerde hij, hoeveel keer zou hij in de Tour starten, hoeveel individuele etappes won hij?

QUIZVRAGEN TOUR 2005

❶Gérardmer, Col de la Schlucht, Andreas Klöden, nummer 152. Zo lang geleden? Een crypto over een noordelijke renner. Wie?

❷VS-No-Den-Oek: voilá de winnaars van de vier truien? Welke namen horen bij welke truien?

❸Robbie McEwen, in 2004 winnaar van het groen, greep deze ronde drie dagzeges. Twee ervan in Montpellier en Montargis, de andere op Duitse bodem. Waar? En op welke plaats eindigde hij in het puntenklassement?

❹Op het netvlies zal vast Michael Rasmussen nog staan als winnaar van de bollentrui in 2004. Eerder tijdens de Tour was dit tricot vier dagen lang in het bezit van twee

Gerrie Knetemann met op de achtergrond Mart Smeets.

ploegmakkers. Eén droeg het shirt drie dagen, de ander nam het daarna over. Welke coureurs van Rabobank waren dat?

⑤Iker Flores, zijn daden zijn niet al te groot. Hij werd afgevlagd als nummer laatst in de Tour van 2005. Drie jaar eerder overkwam dat zijn broer Igor ook al. Welke van de twee had de grootste achterstand op eindwinnaar Armstrong?

⑥ Gerben Löwik mocht eindelijk eens mee naar de Tour. Het draaide uit op een deceptie. Waarom? [A] Omdat hij vrijwel dagelijks niet bij machte was het tempo van het peloton te volgen [B] omdat een driedubbele valpartij in de eerste rit zoveel verwondingen opleverde, dat hij de strijd moest staken [C] omdat hij last had van een 'derde bal' en na twee weken stopte [D] omdat hij ruzie kreeg met de rondearts over medicamenten.

- -

⑦ Lézat-sur-Lèze– Saint-Lary-Soulan, een zware rit door de Pyreneeën, werd gewonnen door een knecht van Amstrong. Van de 573 beschikbare punten voor de bergranking van deze dag pikten drie Nederlanders er 143 in. Wie waren deze avonturiers? En welke Amerikaan zegevierde?

- -

⑧ Aan rit 16, Mourenx-Pau, begonnen twee winnaars van een grote voorjaarsklassieker niet meer. De een was ooit Erik Dekker te snel af, de ander bezorgde Tristan Hoffman een zwarte dag. Wie worden er bedoeld?

- -

⑨ 'De Valk' van Discovery Channel sloeg toe op voor hem merkwaardig terrein: een etappe zonder noemenswaardige hindernissen. Wat was zijn naam? Voor welke (acht) stallen kwam hij uit?

- -

⑩ Een zeldzaamheid op de Champs-Elysées waar de sprinters eens geen hoofdrol konden opeisen door een furieus rijdende stijfkop. Zelfs de proloogspecialisten als Cancellara (3e) en McGee wisten geen raad met hem. Wie?

- -

Kies de juiste route

Streep de foute antwoorden weg, of kies de juiste optie, dat kan natuurlijk ook.

<center>~~~~~~~~~~~~~~~~~~ 2006 ~~~~~~~~~~~~~~~~~~</center>

Het was al ergens in oktober van 2007. Er was een ereschavotje, in een Madrileens hotel. De Tourwinnaar van 2006 werd gehuldigd: **Oscar Pereiro Sio** | **Floyd Landis** | **Andreas Klöden**. Niet dat hij nu ruim een jaar eerder als gele-truidrager in Parijs was aangekomen. **Floyd Landis** | **Ivan Basso** | **Jan Ullrich** was echter de trui ontnomen, nadat het antidopingbureau in zijn vaderland de winnaar had ontmaskerd. Het was toch al een rare Tour in 2006. Bij de start in Straatsburg werden tal van favorieten, onder wie **Alexandre Vinokourov** | **Michael Rasmussen** | **Ivan Basso** geweerd. Zij bleken voor te komen in documenten van **Franse justititie** | **Willy Voet** | **Operacion Puerto**.

QUIZVRAGEN TOUR 2006

❶ Operacion Puerto was nog lang niet afgesloten bij de start van de Tour. Welke vijf ploegen stonden daardoor gehandicapt of helemaal niet aan het vertrek in Straatsburg?

---

❷ 'We'hadden weer eens wat te vieren na de proloog: een witte trui. Voor wie was die en waar eindigde hij in de korte tijdrit?

---

❸ Wie loste de Nederlander na de eerste rit al af?
[A] Thomas Lövkvist, [B] Benoît Vaugrenard,
[C] Marcus Fothen, [D] Bernhard Eisel?

----

❹ Op weg naar Valkenburg viel Erik Dekker ongenadig hard
en dat betekende het einde van zijn carrière. Dezelfde rit
moesten ook een Amerikaanse sprinter en een Spaanse
klassementsrenner de strijd staken. Wie waren dat?

----

❺ Etappe 4 leverde winst op voor Robbie McEwen. Hij
klopte een naderhand jammerlijk verongelukte baanspecia-
list uit Spanje. Hoe heette die coureur, waar kwam hij om
en met wie reed hij toen een zesdaagse?

----

❻ De lange tijdrit die Serhiy Gontchar geel bracht, gaf een
top-tien-invasie te zien van Duitsers. In Rennes stonden er
vier bij de eerste acht. En op plek tien kwam de beste
Nederlander. Geef de vijf namen.

----

❼ Bijna deed zich een primeur voor van een Finse dagprijs.
Sylvain Calzati voorkwam dat feit in de achtste rit door een
Scandinaviër van Liquigas voor te blijven. Wie?
[A] Joona Laukka   [B] Jussi Veikkanen
[C] Kjell Carlström   [D] Markus Ljungqvist

----

❽ Woensdag 12 juli 2006 zal deze Fransman nimmer meer
vergeten. Geklopt worden aan het einde van de etappe naar
Pau, in de sprint door de Spanjaard Mercado was niet erg,
want hij pakte geel en de bollentrui. De initialen CD en
AG2R horen bij deze naam. Wie o wie?

⑨Opgejaagd door de
landgenoten van Mandela
leek het goed te gaan, maar
zijn gehoor liet hem in de
steek. Verbanning naar
Robbeneiland? Crypto
over...?

----

⑩Thor Hushovd bezorgde
in Parijs zijn landgenoten
een mooie dag door de
slotetappe te winnen. De
hoeveelste rit won hij ook?

Franse nostalgie in het VIP-dorp.

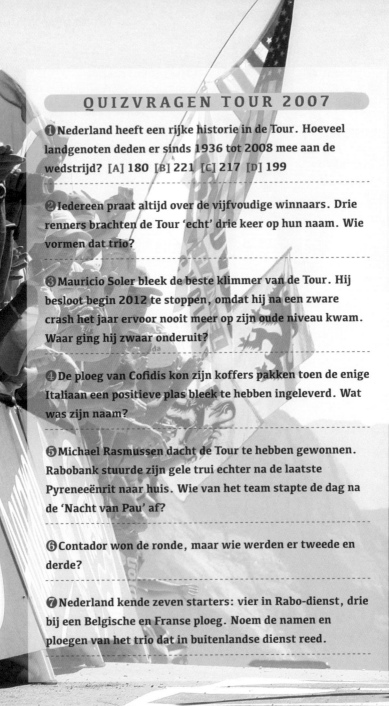

QUIZVRAGEN TOUR 2007

① Nederland heeft een rijke historie in de Tour. Hoeveel landgenoten deden er sinds 1936 tot 2008 mee aan de wedstrijd? [A] 180 [B] 221 [C] 217 [D] 199

② Iedereen praat altijd over de vijfvoudige winnaars. Drie renners brachten de Tour 'echt' drie keer op hun naam. Wie vormen dat trio?

③ Mauricio Soler bleek de beste klimmer van de Tour. Hij besloot begin 2012 te stoppen, omdat hij na een zware crash het jaar ervoor nooit meer op zijn oude niveau kwam. Waar ging hij zwaar onderuit?

④ De ploeg van Cofidis kon zijn koffers pakken toen de enige Italiaan een positieve plas bleek te hebben ingeleverd. Wat was zijn naam?

⑤ Michael Rasmussen dacht de Tour te hebben gewonnen. Rabobank stuurde zijn gele trui echter na de laatste Pyreneeënrit naar huis. Wie van het team stapte de dag na de 'Nacht van Pau' af?

⑥ Contador won de ronde, maar wie werden er tweede en derde?

⑦ Nederland kende zeven starters: vier in Rabo-dienst, drie bij een Belgische en Franse ploeg. Noem de namen en ploegen van het trio dat in buitenlandse dienst reed.

Michael Rasmussen viert zijn
zege op de Col d'Aubisque in
2007. De Rabo-renner is de
snelste in de zestiende etappe
van Orthez naar Gourette.

⑧De twee Engelstalige renners van T-Mobile knepen in de remmen tijdens de achtste rit, van Le Grand Bornand naar Tignes. Beiden zijn naderhand wel eens wereldkampioen geworden. Hun namen?

----

⑨Noem Nederlandse Tourdeelnemers die geregistreerd staan bij de achternamen die beginnen met een Z. Het zijn er vier.

----

⑩Hier is een aantal favorieten en quotering per renner bij de bookmakers, voor aanvang van de Tour in 2007. Zet de juiste quotering bij de juiste renner: Andreas Klöden, Alexandre Vinokourov, Alejandro Valverde, Cadel Evans, Carlos Sastre, Levi Leipheimer, Alberto Contador – de quoteringen: 2,87 – 5,00 – 5,00 – 13,00 – 13,00 – 17,00 – 29,00

Kies de juiste route

Streep de foute antwoorden weg, of kies de juiste optie, dat kan natuurlijk ook.

2008

Grote kans dat ook u hem al lang weer vergeten was. Wie won ook alweer de Tour van 2008? Was dat niet: **Oscar Pereiro Sio | Carlos Sastre | Alejandro Valverde?** De Spanjaard maakte in 2003 naam door een ritzege in de Tour, naar Plateau de Bonascre, te vieren met **een wheely | speen in de mond | keiharde schreeuw.** In 2008 wist de CSC-kopman met hulp van **Ivan Basso | de gebroeders Schleck | Karsten Kroon** de

Tour te winnen. Waar anderen tegenwoordig direct een kruis over een dergelijk seizoen zetten, ging de Spanjaard – een ware liefhebber van de grote rondes – door. Hij startte met aspiraties in de Vuelta. Die ronde werd echter gewonnen door de grote afwezige in de Tour van 2008: **Alberto Contador | Joaquim Rodriguez | Samuel Sanchez.**

QUIZVRAGEN TOUR 2008

❶ **De volgende ploegen deden onder meer mee aan de Tour van 2008. Drie teams kwamen op een wildcard binnen. Welke drie uit dit rijtje? Crédit Agricole – Agritubel – Barloworld – Bouygues Télécom – Caisse d'Epargne – Cofidis – Euskaltel-Euskadi – Française des Jeux – Garmin-Chipotle.**

----

❷ **Het regende weer dopinggevallen in deze ronde. Welke namen zitten nog in het geheugen? De ploegen die erbij betrokken waren (ook met terugwerkende kracht): Liquigas, Crédit Agricole, Saunier Duval, Agritubel, Gerolsteiner en Barloworld.**

----

❸ **Dacht Cadel Evans toch even zijn slag te slaan in de tijdrit van Saint-Amand – Montrond. Carlos Sastre steeg echter boven zichzelf uit en stelde zo de eindzege veilig. Hoe groot was het verschil in klasseringen en tijd tussen de twee kemphanen die voorlaatste dag?**
[A] Evans 7e, Sastre 13e op 1 minuut
[B] Evans 6e, Sastre 11e op 53 seconden
[C] Sastre 9e, Evans 10e op 34 seconden
[D] Evans 7e, Sastre 12e op 29 seconden

Broekie Chris Froome tijdens zijn eerste Tour de France in 2008.

❹Laurens ten Dam werd de beste Nederlander, op de 22e plaats. Geef van de volgende namen aan of ze voor of achter hem in het klassement eindigden: Sandy Casar, Vincenzo Nibali, Stéphane Goubert, Chris Froome, Luis-Leon Sanchez, Sylvester Szmyd.

----

❺Een keer de hekkensluiter zijn, is normaal. Twee wordt al bijzonder, maar drie keer (2006, 2007 en 2008) als laatste arriveren in Parijs doet niemand deze Vlaming van Silence-Lotto meer na. Zijn naam?

----

❻Toen de sprinter bij de kapitein wegging, betrok de lucht en dat gaf de ander een heel koud gevoel. Sterker nog, het gejodel verstomde. Een crypto over ...?

----

❼Zes Franse teams: Bouygues Telecom, Française des Jeux, AG2R-La Mondiale, Crédit Agricole, Cofidis en Agritubel. Hoe was hun ranking in het ploegenklassement na drie weken? Geef de goede volgorde.

----

❽Wie van de volgende Nederlanders was het eerst boven op l'Alpe d'Huez, finishplaats van de zeventiende rit: Koos Moerenhout, Pieter Weening of Laurens ten Dam?

----

❾In de vijftiende etappe stapte Cavendish niet meer op. Het einde van de rit haalden ook Renshaw, Devolder en oud-Tourwinnaar Pereiro niet. Hoeveel ritzeges in de Tour verzamelde dit viertal tot eind 2013?

----

❿En de beste Belg in de Tour van 2008 was?

Kies de juiste route

Streep de foute antwoorden weg, of kies de juiste optie, dat kan natuurlijk ook.

2009

Oscar Freire gaf het grif toe. Hij was soms net een verstrooide professor. Toch vergat Freire, naar eigen zeggen, één ding nooit: **'Ik weet altijd waar de streep ligt'** | **'Ik weet altijd hoe laat het is'** | **'Ik weet altijd wat mijn rugnummer is.'** Met name op het WK bewees Freire dat die woorden klopten, hij werd **tweemaal** | **driemaal** | **vier-maal** wereldkampioen. In de Tour de France was hij relatief minder succesvol, de sleur van een evenement over drie weken speelde hem vaak parten. Toch pakte de Spanjaard **twee** | **drie** | **vier** ritzeges én de eindzege in het puntenklassement in 2008. Aan de Tour van 2009 hield hij minder prettige herinneringen over. Een arts moest Freire na de rit van Vittel naar Colmar behandelen omdat hij **tegen een hert was opgereden** | **met zijn tanden op het stuur was geslagen** | **met een luchtbuks was beschoten.**

Denis Menchov verkent het parcours in de Alpen in mei 2008.

QUIZVRAGEN TOUR 2009

❶ Noem de namen van de zes renners die al op de eerste dag in Monaco (tijdrit 15,5 km) in de top tien eindigden en drie weken later ook in de eerste tien van het klassement stonden.

----

❷ Cyril Lemoine, Albert Timmer Thierry Hupond en 27e, 50e en 16e: drie renners van Skil-Shimano en drie klasseringen. Bij wie hoort welke klassering en om welke rangschikking gaat het dan?

----

❸ Skil-Shimano debuteerde in deze Tour en dat viel niet altijd mee. Neem de einduitslag van het ploegenklassement. Daarin eindigde het team grandioos als laatste, met meer dan drie uur achterstand op de voorlaatste ploeg. Hoe groot was de marge met het winnende team Astana?

[A] 5.34,45 [B] 6.37,11 [C] 7.02,52 [D] 8.12,23

----

❹ Wie werd de klimkampioen van deze Tour?

----

❺ En welke man nestelde zich in de eindafrekening tussen winnaar Contador en diens ploegmaat Armstrong?

----

❻ Er kan er maar één de beste zijn. En dus ook één de slechtste. Een Nederlander heeft sinds deze Tour de twijfelachtige titel van 'slechtste klimmer uit de Tourgeschiedenis'. Wie?

----

❼ Hij was te snel voor de kogelregen, het gebeurde vlak bij huis', maar even later toch ook weer niet. Wie hoort er bij deze crypto?

⑧ Verschrikkelijk waren de beelden op televisie. Een renner die voorover van zijn fiets viel tijdens de afdaling van de Col du Petit-Saint-Bernard, en vervolgens meterslang over het asfalt schuurde. Logisch dat zijn Touravontuur ten einde was. **Wie was de ongelukkige?**

----

⑨ Volgens de teamleiding van Rabobank werd de Tour gered op de 'Reus van de Provence'. **Hoezo?**

----

⑩ Dat beeld zullen we niet gauw meer zien: een Japanner op het podium in Parijs. In 2009 was het aan de orde. **Wie stond er te stralen en waarom?**

QUIZVRAGEN TOUR 2010

❶ Zou mooi zijn, in Friesland iets beklimmen. 'Als ik boven ben, kan ik met helder weer Beverwijk zien liggen.' Welke renner zit in deze crypto verborgen?

❷ Nog voor de Tour vertrok vanuit Rotterdam, stond een ploeg al met een man minder door een 'schoonheidsfoutje'. Zijn voornaam begon met een X en hij zou meedoen namens Cervélo. Wie was dat?

❸ RadioShack bracht, naast Armstrong, Horner en Leipheimer, zes man uit zes verschillende landen aan de start. Welke naties?

❹ Oud-renners genoeg als ploegleiders in de ronde. Geef bij de volgende namen de teams waarvoor ze actief waren in deze Tour: Dirk Demol, Bjarne Riis, Matthew White, Yvon Ledanois, Jean-Paul van Poppel, Sean Yates, Fabio Baldato en Mauro Gianetti.

❺ Van welke voormalige wereldkampioen was Linus Gerdemann in deze Tour ploegmaat? En wie droeg er ooit van de acht ploegmaten van Mauro Santambrogio de regenboogtrui?

❻ De steun en toeverlaat van Mark Cavendish in de sprint, met wie hij in 2014 weer ploegmaat werd, moest na etappe elf naar huis. Wat was er gebeurd?

❼ De Tour van 2010 was echt de laatste van Lance Armstrong. Op welke plaats eindigde hij?

Cadel Evans in discussie met jurypresident Martin Bruin tijdens de Tour 2009.

⑧ Nog een crypto waaruit een renner tevoorschijn moet komen. Gewelddadige Brabander? Dacht het niet! TomTom heeft geen zin op de geitenpaden, zeker als de gezondheid in het geding is. Wie is dit?

- -

⑨ Lars Boom was initiatiefnemer van de eerste ontsnapping in de Tour van 2010. Tussen Rotterdam en Brussel kreeg hij twee vazallen mee, van wie er een naderhand zijn ploegmaat werd. Welke Vlaming was dit?

- -

⑩ Wat hadden Mathias Frank en Manuel-Antonio Cardoso gemeen? [A] Beiden reden voor BMC [B] beiden eindigden twee keer als tweede in een etappe [C] beiden kwamen al niet meer aan de start van rit 1, vanwege een valpartij in de proloog [D] beiden zouden na het seizoen stoppen met wielrennen.

QUIZVRAGEN TOUR 2011

❶ 'Cadelleke' Evans, een mooie winnaar van de 98e Tour. Wanneer debuteerde hij in de ronde, hoe vaak finishte hij in de top tien en hoeveel ritzeges staan er achter zijn naam?

- -

❷ Sierra Nevada kent hij op z'n duimpje, maar of hij het thuis voor het zeggen heeft? Daar wil ik wel om wedden. Wie hoort er bij deze crypto?

❸ Nederland grossierde zowaar in truien tijdens de Tour. Wie droeg welke en hoelang?

❹ Wat is er opvallend aan de uitslag van etappe 12 (Luz Ardiden) en 14 (Plateau de Beille) in deze Tour?

❺ Prikkeldraad, het woord is voldoende om de vraag te stellen welke twee (!) renners tot de meest strijdlustige werden uitgeroepen na de negende etappe.

❻ De gebroeders Schleck deden een beroep op vele nationaliteiten, waaronder de Nederlandse. Welke knecht mocht mee naar de Tour?

❼ Er waren nogal wat teams die compleet Parijs bereikten. Welke zes van de volgende ploegen stonden met negen man in Parijs: Rabobank, Saur-Sojasun, Trek-Leopard, Saxo Bank, Team Sky, BMC, Cofidis, HTC/Highroad, RadioShack, Liquigas?

❽ Verliep de route van deze Tour in de richting van de klok of tegen de klok in?

❾ Had Saxo Bank meer Spanjaarden of Denen aan boord deze reis?

❿ Cavendish zag groen op de Champs-Elysées. Welke Engelsen gingen hem voor in de geschiedenis?

QUIZVRAGEN TOUR 2012

❶ Hij nam een minuutje meer de tijd om Luik vanaf een racefiets te bekijken, op de eerste dag van de Tour 2012. Deze Limburger lag absoluut niet wakker van dat tijdverlies en de laatste plaats in het dagklassement. Wie betreft deze informatie?

---

❷ Kenny van Hummel mocht opnieuw proberen aan te komen in Parijs. Dat mislukte weer, maar in welke etappe staakte hij de strijd?
[A] 13e rit [B] 14e rit [C] 15e rit [D] 16e rit?

---

❸ Maarten Ducrot is commentator bij de NOS. Hoelang zit deze ex-renner al op die post, en voor welke ploegen reed hij de Tour?

---

❹ Etappe acht en negen en de ritten elf tot en met zestien gaven een Scandinavische berggeit in de bollentrui te zien die in Parijs tweede was in het bergklassement. Wat is de naam van deze ex-mountainbiker?

---

❺ De koninklijke sprint in hartje Parijs toonde aan hoe internationaal de Tour is. De top dertien werd bevolkt door coureurs uit evenzoveel verschillende landen. Dit zijn hun voornamen, geef de achternaam erbij: Mark, Peter, Matthew, Juan José, Kris, Greg, Borut, André, Edvald, Jimmy, Tyler, Koen en Luca.

---

❻ Tejay van Garderen werd gehuldigd als de beste jongere, voor Thibaut Pinot en ...., een Nederlander. Wie?

---

❼Bradley Wiggins begon zijn profcarrière op het Europese vasteland. Bij welk team?

----

❽Toen Piti begon te blaffen, werd het akelig stil. De rust heeft niet geroest. Nog even en het is drie op een rij. Deze crypto gaat over.......?

----

❾Dat Wiggins de Tour won, kan iedereen zich nog herinneren. Maar hoe zit het met de winnaars van de andere twee grote ronden in 2012?

----

❿Peter Sagan, man van grootse zeges, trok het groen naar zich toe. Logisch dat hij een broertje kon meenemen naar (destijds) Liquigas. Hoe heet deze jongen van voren?

QUIZVRAGEN TOUR 2013

❶Stress hoort bij de Tour. Dus was er de nodige consternatie op de eerste dag van de honderdste Tour, die overigens voor een klein beetje Nederlands succes bracht. Wat was er aan de hand? [A] De organisatie weigerde Lance Armstrong een bezoekerspas te geven [B] met nog een vijftiental kilometers te rijden kwam de bus van Orica-GreenEDGE vast te zitten onder de finishboog [C] Tourwinnaar van 2012 Bradley Wiggins, liep al gelijk een kwartier achterstand op, [D] bij Belkin waren de mecaniciens vergeten de kaderplaatjes op de fietsen te bevestigen.

----

❷Wat waren respectievelijk de aankomstplaatsen van de eerste, tweede en derde etappe op Corsica?

----

❸ En wie zegevierden achtereenvolgens de eerste drie dagen?

------

❹ In de ploegentijdrit te Nice bereikten twee ploegen compleet de streep (dus met negen man in dezelfde tijd) de finish. Welke teams waren dat?

------

❺ Op de zondag voor de ploegentijdrit mochten amateurs en andere lief-hebbers het 25 kilometer lange parcours rijden van de ploegentijdrit. Een Franse professional, Geoffroy Lequatre, won dat niemendalletje. Wat was zijn tijd, wetend dat Orica GreenEDGE er 25.56 over deed? [A] 29.50 [B] 30.04 [C] 30.48 [D] 31.12

------

❻ De vorst was razendsnel van het toneel verdwenen. Geen rol als zonnekoning dus, maar met 32.24 móest hij wel thuiskomen. De crypto slaat op…?

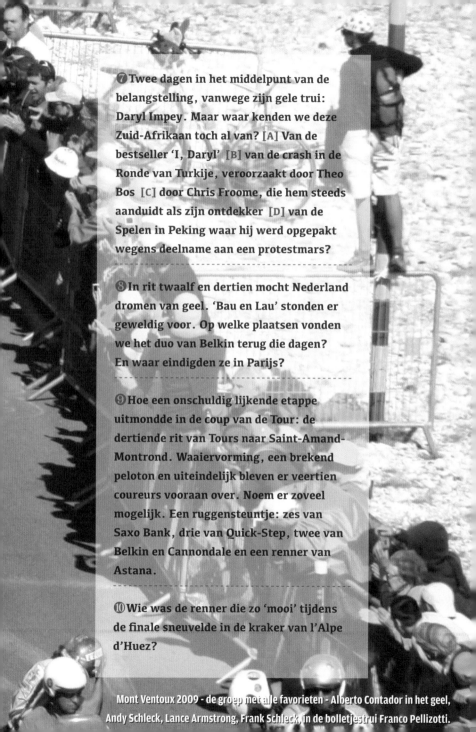

❼ Twee dagen in het middelpunt van de belangstelling, vanwege zijn gele trui: Daryl Impey. Maar waar kenden we deze Zuid-Afrikaan toch al van? [A] Van de bestseller 'I, Daryl' [B] van de crash in de Ronde van Turkije, veroorzaakt door Theo Bos [C] door Chris Froome, die hem steeds aanduidt als zijn ontdekker [D] van de Spelen in Peking waar hij werd opgepakt wegens deelname aan een protestmars?

❽ In rit twaalf en dertien mocht Nederland dromen van geel. 'Bau en Lau' stonden er geweldig voor. Op welke plaatsen vonden we het duo van Belkin terug die dagen? En waar eindigden ze in Parijs?

❾ Hoe een onschuldig lijkende etappe uitmondde in de coup van de Tour: de dertiende rit van Tours naar Saint-Amand-Montrond. Waaiervorming, een brekend peloton en uiteindelijk bleven er veertien coureurs vooraan over. Noem er zoveel mogelijk. Een ruggensteuntje: zes van Saxo Bank, drie van Quick-Step, twee van Belkin en Cannondale en een renner van Astana.

❿ Wie was de renner die zo 'mooi' tijdens de finale sneuvelde in de kraker van l'Alpe d'Huez?

Mont Ventoux 2009 - de groep met alle favorieten - Alberto Contador in het geel, Andy Schleck, Lance Armstrong, Frank Schleck, in de bolletjestrui Franco Pellizotti.

2014

Bauke en Robert toppers in de top twintig

Vaandeldragers van de huidige generatie Tourrenners in Nederland, dat kunnen er maar twee zijn: Bauke Mollema en Robert Gesink. Laat deze heren nu ook degenen zijn die in het recente verleden de meeste keren wisten door te dringen tot de top twintig van een etappe. Groninger Bauke was net iets beter (twaalf keer) dan Robert (elf), en ook kwam hij dichter bij een felbegeerde ritzege.

Overigens bevinden beiden zich met dit rapportcijfer redelijk in de achterhoede van het Nederlandse leger. 67 coureurs arriveerden vaker bij de beste twintig van een etappe. In vergelijking met de beste Tourveteraan van Oranje, Joop Zoetemelk, staat het duo mijlenver achter. Joops naam was liefst 162 keer in de eerste twintig van een rituitslag te traceren, dus ruim tien keer meer dan Mollema. Het dient wel te worden vermeld dat Bauke nog dertien Tours mag rijden om dat aantal te evenaren...

NATIONALE KAMPIOENEN IN DE TOUR

In de Tour de France van 2010 reden 12 verschillende nationale kampioenen op de weg mee. Dit aantal betekende een record. Hushovd en Voeckler boekten in de nationale kampioenstrui een etappezege en José Iván Gutiérrez was met een 48e plaats de beste nationale kampioen in het eindklassement.

12 NATIONALE KAMPIOENEN IN DE TOUR VAN 2010

 155e
NICKI SØRENSEN ● 75e **MARTIN ELMIGER** ● 48e **JOSÉ IVÁN GUTIÉRREZ**

 111e
THOR HUSHOVD ● **Opgave** **FRÄNK SCHLECK** ● 91e **CHRISTIAN KNEES**

 86e
ALIAKSANDR KUCHYNSKI ● 76e **THOMAS VOECKLER** ● 65e **ALEXANDR KOLOBNEV**

 Opgave
NIKI TERPSTRA ● 67e **GERAINT THOMAS** ● 108e **ALEXANDR PLIUSHKIN**

HET AANTAL NATIONALE KAMPIOENEN IN ANDERE EDITIES VAN DE TOUR

Jaar	Aantal
1998	10
2011	10
1999	9
2013	9
1986	8
1996	8
2000	8
2009	8
2012	8

NEDERLANDERS MET KLASSERINGEN IN DE TOP 20

PERSOON	AANTAL TOP 20	PERSOON	AANTAL TOP 20
Joop Zoetemelk	162	Ab Geldermans	31
Jan Janssen	133	Mathieu Hermans	31
Gerben Karstens	125	Henk Nijdam	31
Wim van Est	105	Erik Dekker	30
Hennie Kuiper	82	Hein van Breenen	28
Gerrit Voorting	82	Evert Dolman	27
Johan van der Velde	76	Jaap Kersten	26
Gerard Vianen	73	Jan Lambrichs	25
Wout Wagtmans	70	Piet van Katwijk	24
Rini Wagtmans	68	Wim de Ruyter	24
Toon van Schendel	64	Jos van der Vleuten	24
Adrie van der Poel	61	Cees Haast	23
Gerrie Knetemann	61	Janus Hellemons	22
Jan Nolten	52	Jeroen Blijlevens	22
Steven Rooks	52	Harm Ottenbros	22
Henk Lubberding	48	Peter Stevenhaagen	21
Peter Winnen	45	Cees Priem	20
Albert van Schendel	43	Jan van Katwijk	20
Erik Breukink	43	Henk Faanhof	20
Piet van Est	43	Piet Damen	19
Gert-Jan Theunisse	40	Gerard Veldscholten	19
Leo van Vliet	39	Theo de Rooij	18
Jan Raas	37	Thijs Roks	17
Jo de Roo	37	Rik Wouters	17
Theo Middelkamp	35	Ad Wijnands	16
Jan Krekels	35	Harrie Steevens	16
Jean-Paul van Poppel	35	Daan de Groot	16
Jelle Nijdam	35	Frans Maassen	16
Michael Boogerd	34	Jef Dominicus	15

Erik Breukink tijdens de Tour de France in 1990.

Martin van de Borgh	15
Jef Janssen	15
André de Korver	15
Henri Manders	15
Huub Zilverberg	15
Bert Pronk	14
Wim Schepers	14
Bert Oosterbosch	13
Fedor den Hertog	13
Arie den Hartog	12
Piet de Jongh	12
Jo Maas	12
Frits Pirard	12
Theo Smit	12
Jos Suykerbuyk	12
Tino Tabak	12
Bauke Mollema	12
Robert Gesink	11
Steven de Jongh	11
Ger Harings	11
Hans Dekkers	11
Jo de Haan	11
Leon van Bon	10
Martijn Maaskant	10
Laurens ten Dam	9
Cees Zoontjes	9
Servais Knaven	9
Eddy Beugels	9
Jan Jonkers	9
Eddy Schurer	9
Huub Sijen	9

Wim Prinsen	9
Piet van Nek	8
Johan Lammerts	8
Henk de Hoog	8
Jan van Houwelingen	8
Leo Duyndam	8
Bram de Groot	8
Koen de Kort	8
Kenny van Hummel	7
Adri Voorting	7
Bas Maliepaard	7
Gerrit Schulte	7
Mies Stolker	7
Gerrit Solleveld	7
Leo van der Pluym	6
Mathieu Pustjens	6
Peter Pieters	6
Maarten Ducrot	6
Jos Hinsen	6
Leo van Dongen	6
Teun van Vliet	6
Marc Lotz	6
Rob Ruijgh	6
Aart Vierhouten	6
Bram Tankink	5
Karsten Kroon	5
Koos Moerenhout	5
Jans Koerts	5
Bart Voskamp	5
Dick Enthoven	5
René Pijnen	5

Gert-Jan Theunisse tijdens de Tour de France in 1989.

Gerrit Peters	5		Klaas van Est	3
Adrie van Houwelingen	5		Wim Dielissen	3
Henk Poppe	5		Jacques Hanegraaf	3
Antoon van der Steen	5		Jules Maenen	3
Roy Schuiten	5		Jan Serpenti	3
Bram Kool	4		Cees Rentmeester	3
Theo van der Leeuw	4		Gerrit van der Ruit	2
Coen Niesten	4		Jos Schipper	2
Aad van den Hoek	4		Henk Prinsen	2
Huub Harings	4		Patrick Tolhoek	2
Maarten den Bakker	4		Cees Lute	2
Henk Benjamins	4		Marc van Orsouw	2
Toine Poels	4		Jef Lahaye	2
Frans Vos	4		Cees van Espen	2
Joost Posthuma	4		André van Aert	2
Danny van Poppel	4		John Talen	2
Tom Dumoulin	4		Tristan Hoffman	2
Wout Poels	4		Gerrit de Vries	2
Lieuwe Westra	3		Eddy Bouwmans	2
Tom Veelers	3		René Beuker	2
Pieter Weening	3		Piet van de Brekel	2
Maarten Tjallingii	3		Arie Vooren	2
Jan Westdorp	3		Jacques Verbrugge	2
Nico Verhoeven	3		Roy Curvers	2
Martin Schalkers	3		Albert Timmer	2
Danny Nelissen	3		Thomas Dekker	2
Wiebren Veenstra	3		Niki Terpstra	2
Max van Heeswijk	3		Lars Boom	1
Cees Bal	3		Boy van Poppel	1
Patrick Jonker (AUS)	3		Steven Kruijswijk	1
Rob Harmeling	3		Johnny Hoogerland	1

Stef Clement	1	Jos van Aert	1
Wil de Vlam	1	Bernard Franken	1
Jan van Wijk	1	Jan Gommers Sr.	1
Adrie Wouters	1	Gert Jakobs	1
Martien Kokkelkoren	1	Frits Hoogerheide	1
Jan Boven	1	Harrie van Leeuwen	1
Gerben Löwik	1	Cees Koeken	1
Johnny Broers	1	Matthijs de Koning	1
Wies van Dongen Sr.	1	Frans Pauwels	1
Johannes Draaijer	1	Henk Steevens	1
Henk Boeve	1	Leen Poortvliet	1
John Bogers	1	Harrie Schoenmakers	1

2014

De Tour is helemaal niet slecht voor de gezondheid

Franse wielrenners die hebben meegedaan aan de Tour de France worden 6,3 jaar ouder dan de gemiddelde Fransman. Ongelooflijk, maar waar. Als we tenminste de bevindingen mogen geloven van de Europese Vereniging voor Cardiologie in Amsterdam.

De geleerden van die club doken eens in de geschiedenis en verzamelden de gegevens van bijna 790 renners uit het land van de Zonnekoning die sinds 1947 aan de Tour hebben meegedaan. In dat jaar schoot de ronde opnieuw in gang na de onderbreking door de Tweede Wereldoorlog. Hoofdonderzoeker Xavier Jouven constateert dat het verschil met de gemiddelde Fransman 'enorm' is.

Volgens hem bewijzen de resultaten dat artsen mensen
veel meer moeten aansporen tot zware sportieve inspanningen. Lang leve de Tour dus, want kennen we evene-
menten die het lijf meer geselen dan deze kruistocht
op een zadel?

Nog meer opmerkelijke zaken uit de analyse van alle
cijfertjes: de onderzochte groep wielrenners heeft 33
procent minder kans om aan een hartaanval of hart-
infarct te overlijden. De kans dat kanker de doods-
oorzaak zal zijn, ligt liefst 44 procent lager.

Wat dopinggebruik (en dat is toch wel bewezen) doet
met de gezondheid van een mens, is eveneens meegenomen in het werk van de doktoren. Er wordt een slag
om de arm gehouden, maar de resultaten lijken erop te
wijzen dat het gebruik van doping geen negatieve gevolgen heeft voor de gezondheid. Althans, zo luidt
de conclusie, niet op de korte termijn.

CRYPTO
GRAMMEN

Gevangen in crypto

Hoe meer aanwijzingen, hoe minder punten. Nog niet kapot van de lange quizetappe? Ga dan gauw verder met de ultieme breinbrekers, de dwaalsporen die uiteindelijk leiden tot een coureur of ander begrip uit de wielersport. Met vier hints is alles op te lossen, toch? Ook dit geheimschrift leent zich weer voor een mooi gevecht, al dan niet in het gezelschap van tegenstanders, waarbij bizarre gedachtekronkels wel eens de doorslag kunnen geven. Soms is het logisch nadenken, een andere keer helpt verder kijken/mijmeren dan de neus lang is, wat beter.

De antwoorden zijn te vinden achterin het boek.

CRYPTO 1

(10) Rondjes rijden was als thuis-komen. Hoefde hij tenmin-ste niet bang te zijn om te verdwalen.

(5) Zijn naam viel eind 2012 in een discussie wie er de nieuwe bondscoach van die natie zou moeten worden. Er werd sinds-dien weinig over vernomen.

(3) Zijn eerste ploeg was Vitalicio Seguros, zijn laatste het Russi-sche Katusha.

(1) Hij werd wereldkampioen in Lissabon, maar was het eerder ook al geworden in de stad waar hij later opnieuw de regenboogtrui zou veroveren.

CRYPTO 2

(10) Ooit klapten Denen hun handen stuk voor deze 'buurman'.

(5) Wat zei Joop Zoetemelk? 'Parijs is nog ver.' Dat klopte ook voor hem.

(3) Op klinkers liggen vindt hij niets, ze leggen kan hij als de beste.

(1) Beestachtig goed in tijdrijden.

CRYPTO 3

(10) 'Het is ook maar een koers hè. Gewoon eten, drinken en blijven ademhalen, dan kom je vanzelf in Parijs.'

(5) Uit zo'n groot gezin afkomstig,

maar verder niemand die
topsport bedrijft.

(3) Ooit bestempeld als de
opvolger
van Joop Zoetemelk.

(1) Gérardmer 2005. Dat
zegt toch genoeg?

CRYPTO 4

(10) In 2006 stuurde ene
Oscar Pereiro zijn
plannen lelijk in de war.

(5) Natuurlijk was zijn
zwager een veel
betere klimmer.

(3) Winnen op l'Alpe d'Huez
was misschien wel
mooier dan juichen
in Parijs.

(1) De eerste coureur die
Cervélo vastlegde, was
deze kleine Spanjaard.

CRYPTO 5

(10) Rode bollen flitsten aan
de Atlantische kust.

(5) Peter Post had meer
fiducie in de snelle
benen van Olaf Ludwig
dan in die van hem.

(3) Negen etappes in de
Tour, dat doet nóg pijn!

(1) Misschien dat Danny
hem ooit verlost.

CRYPTO 6

(10) Herne Hill, daar
begon het allemaal.

(5) Cancellara ging hem
als enige vooraf in de
ronde.

(3) Bij Cofidis zag nooit
iemand iets van zijn
potentieel.

(1) De eerste Tour-
winnaar met échte
bakkebaarden.

CRYPTO 7

(10) Afkomstig uit
'Luilekkerland' bleek
de Tour zeker de eerste
twee jaar een marteling.

(5) Twee keer Spanje bracht
meer succes dan acht
keer Frankrijk.

(3) Joop vond zijn
gezelschap kennelijk
prettig genoeg.

(1) Gerrie Knetemann en
Cees Bal: de andere twee
van de drie Musketiers
in Franse dienst.

CRYPTO 8

(10) Een elfklapper in
Rheinland-Pfalz,
het was ongekend.

⑤ 'Het raadsel van Ermelo'.

③ Had te lang geen trek in betaald fietsen.

① Verschrikkelijk, wat kon-ie hard rijden!

CRYPTO 9

⑩ Noorse slippendrager.

⑤ De Spelen bekeerden hem tot Scandinaviër.

③ TVM liet ook een oogje vallen op deze clown.

① 35 is-ie niet geworden helaas.

CRYPTO 10

⑩ Onze Joop was de allereerste, de Spanjaard Perurena de laatste.

⑤ Kun je je voorstellen dat Kessiakoff ook in aanmerking kwam?

③ De nummers 3, 2 en weer 3 van 2003, 2004 en 2005 ontbreken.

① En hij is altijd buiten schot gebleven als het hierom ging.

CRYPTO 11

⑩ Omringd door beroemde broers en zussen.

⑤ De zieken en melaatsen vonden er altijd veel troost.

③ Dé verbinding tussen de valleien Arc en Isère.

① Jan Janssen liep er compleet op leeg in 1969.

CRYPTO 12

⑩ Marmotten vinden fietsen er niets.

⑤ Een adelaar uit Toledo vloog er gracieus als eerste overheen.

③ Toppunt van klimmen.

① Wie herinnert zich de capriolen van John-Lee Augustyn niet meer?

CRYPTO 13

⑩ Afrika in de Tour.

⑤ De vernieuwer vond het niet nodig dat de acteurs deze helm ook droegen.

③ Weinig woorden uit de mond, des te meer op papier.

① Ja, de Tour was het leven voor hem.

CRYPTO 14

(10) Geld speelde nooit een rol, en te koop was alles.

(5) Met zakken werd het aangesleept.

(3) Grimmig kijken, euforisch winnen.

(1) Kolobnev zei dat het in orde was.

CRYPTO 15

(10) Elk jaar maar één afspraak.

(5) Een villa met uitzicht op Marokko wordt overwogen.

(3) Ook zonder winnen word je miljonair.

(1) Of zijn hond ook epo gebruikt? Geen idee.

CRYPTO 16

(10) Vooralsnog een verkeerde voornaam, fonetisch en qua resultaten gezien.

(5) Er is wellicht een Rode Duivel verloren gegaan.

(3) Altijd wel gek op puntentruitjes.

(1) Wanneer laat hij Vlaanderen aan zijn voeten knielen?

CRYPTO 17

(10) Gokken en verliezen. En dan is de beurs even leeg.

(5) Robuust, betrouwbaar en de lach is nooit ver weg.

(3) Het hart is geen moordkuil en zal dat ook niet snel woorden.

(1) De Twentse komaf blijft hoorbaar.

CRYPTO 18

(10) Onnavolgbaar verwarrend.

(5) Zou zomaar stadsgids ergens in Noord-Frank-rijk kunnen zijn.

(3) Mosselen uit Wemeldinge zijn toch het lekkerst.

(1) 2, 3, 5, 7, 11, 13.

CRYPTO 19

(10) De welp was eigenlijk beter dan de leeuw.

(5) Kijk naar hem en je snapt dat de klei hem trekt.

(3) Zo fit ziet-ie er niet uit hoor!

① In 1999 bijna de man
van het volk.

CRYPTO 20

⑩ Met dank aan Jan,
want die was er niet.

⑤ Hij die wint,
kan vergeven.

③ Echt geen getele-
foneerde zege!

① Gregario en gelegen-
heidskopman.

CRYPTO 21

⑩ Vogelspotter met
een zachte g.

⑤ Rood aangelopen
bij Tourdebuut.

③ Zou die rivier vlakbij
iets met de herkomst
te maken hebben?

① Deze taal is intussen
wel onder de knie.

CRYPTO 22

⑩ Hij kijkt nog altijd
mee bij de maaltijd in
Al Conte Ugolino
da Marino.

⑤ Castellania, ook al een
bedevaartsoord.

③ Zou Museeuw door hem
zijn geïnspireerd?

① Bartali, de grote
tegenstrever.

CRYPTO 23

⑩ Anastasi en Favero
hadden het nakijken in
de Sint-Jozef klassieker

⑤ Van alle markten
was hij thuis.

③ 'De Grote' en 'The Boss'
waren twee minder
bekende bijnamen
van hem.

① De Giro van 1951 had
hij zo goed als op zak,
maar de laatste afdaling
kostte hem het roze.

CRYPTO 24

⑩ Op de Izoard legde hij
de basis voor zijn eerste
Tourzege, vandaar het
gedenkteken.

⑤ Biarritz, Fontenay-
sous-Bois, Mijas en
Saint-Méen-le-Grand, ze
hebben alle een straat
naar hem vernoemd.

③ Abrupt moeten stoppen,
maar hij had het leven
tenminste nog na die
verschrikkelijke crash.

① Zo vader, zo zoon, ook
in de naamgeving.

CRYPTO 25

⑩ Altijd bij de besten!

⑤ WO I vergalde zijn
carrière.

③ Nog steeds menen
historici dat er 113
jaar geleden sprake
was van vergiftiging
van Paul Duboc.

① Nooit een mens gezien
met zo'n herstel-
vermogen.

CRYPTO 26

⑩ Heb je net WO II goed
doorstaan, overlijdt je
broer, verongelukt je
moeder en loop je zelf
een dubbele schedel-
breuk op.

⑤ Je zult in dit land
maar tot populairste
sportman over een
periode van vijftig
jaar worden
uitgeroepen.

③ Vergeleken met een
arend, maar ook
bijzonder handig
op de latten.

① Achtereenvolgens
zilver, brons en goud
op het WK van '49,
'50 en '51.

CRYPTO 27

⑩ Zo'n grote had toch
zeker een keer Parijs
moeten aantikken?

⑤ Weinigen kunnen wat
hij heeft gedaan.
Of beter, niemand.
Volgens hem zelf.

③ Als kasseien eetbaar
waren...

① Een echte Vlaming!

CRYPTO 28

⑩ Berengedrag had hem
zeker geholpen.

⑤ Stroman? Nee,
Strohband!

③ Achteraf wel begrijpelijk
dat die Deen 'een beetje'
epo bijspoot...

① Rudy werd nog net niet
papa genoemd.

CRYPTO 29

⑩ De Muis piepte voor het
eerst in Denemarken.

⑤ Nooit geweten dat violis-
ten zulke benen hadden.

③ Als Zwitser wel logisch dat een uur weinig moeite kostte.

① Zodra hij favoriet was, werd de Tour een groot, zwart beest.

CRYPTO 30

⑩ Als geen ander weet hij hoe ver het is naar de meet in Parijs.

⑤ Gösta Pettersson? Die naam heeft vanwege hem een bekende klank!

③ In de wijnstad zeker geen schlemiel.

① 38 seconden.

CRYPTO 31

⑩ Alberto en Antonio, wie kent hen nu?

⑤ Bijna een loser in de Tour.

③ De man van Goodwood.

① Beppe?

CRYPTO 32

⑩ 57x15.

⑤ Wat, als Merckx een Conconi had gehad?

③ Roze beviel véél meer dan geel.

① Als zestiger nog een klasbak.

CRYPTO 33

⑩ Peter Schep van Zwitserland.

⑤ Wie trouwt er nog meer voor 20.000 mensen?

③ Liefdesverdriet had in Esslingen verschrik-kelijke gevolgen.

① Een kammetje als metgezel in de koers.

CRYPTO 34

⑩ Zonder lucht zag hij alle kleuren van de regenboog.

⑤ Geen Ferrari, maar wel een klant.

③ Gewichtige tegenstander.

① Mosterd halen?

CRYPTO 35

⑩ Een grensovergang werd wereldnieuws.

⑤ In de bus naar Barcelonette.

③ Verzorger in de ruimste zin van het woord.

① Armen, benen en.... .

CRYPTO 36
---

⑩ De rijdende rechter.

⑤ 'Dag monsieur Virenque!'

③ Voskamp snapt er waarschijnlijk nog niets van.

① Zijn haarkleur vertelt het tegendeel.

CRYPTO 37
---

⑩ Parodie op een bekende kermisattractie.

⑤ Je zou het niet van hem verwachten.

③ Zabel gedeklasseerd, Blijlevens krijgt er een ritzege bij.

① Tommeke, Tommeke!

CRYPTO 38
---

⑩ Plassen leek een hels karwei.

⑤ Twee peren en geen boomgaard te zien.

③ Verblind door het geel.

① Afgrijselijke stijl, maar effectief.

CRYPTO 39
---

⑩ God in... Italia, maar te bleek voor het geel.

⑤ Thuisblijven betaalde ooit het best.

③ Als gids van onschatbare waarde voor Bartali, Coppi en Nencini.

① Drievoudig wereldkampioen.

CRYPTO 40
---

⑩ Koning, Keizer of Admiraal? In België kiezen ze de tweede.

⑤ Onverwachte zwanenzang in Valkenswaard.

③ Weinig kans dat Benoni hem nog wel eens spreekt.

① Rik II.

CRYPTO 41
---

⑩ Legendarisch: een timmerman en een artiest op weg naar de wolken.

⑤ Nooit geweten dat olifanten zo goed konden klauteren.

③ Al lang een jongen van de eeuwige jachtvelden.

① Wel érg vriendelijk voor een piraat.

CRYPTO 42
---

⑩ Berrendero, Pantani? Geestverwanten.

(5) Met stip op 1 in 1975.
(3) D'r is geen landgenoot
die het hem nog nadeed.
(1) Vlaams berggeitje.

(3) Was geregeld érg
bij de tijd.
(1) Was goed in de
kortste weg naar geel.

CRYPTO 43

(10) Vermeende opvolger
van The Boss.
(5) In z'n moertaal heet hij
zo: Ярослав Попович.
(3) Het meeste krediet
kreeg hij tussen de
landbouwers.
(1) De beste van de wereld
bij de beloften in 2001.

CRYPTO 44

(10) Meest van onderen
te vinden.
(5) Heeft wat ballen
versleten.
(3) Wel heel weinig
in juli gezien in
Frankrijk.
(1) Rabobank for ever.

CRYPTO 45

(10) Hij had écht niets
te verbergen voor de
boze buitenwereld.
(5) Dat moet Iers bloed
zijn Down Under.

CRYPTO 46

(10) Ziet veel in
hotelvrachtwagens
voor het circus in juli.
(5) Molt graag
heilige huisjes.
(3) De Pekingeend
beviel allerminst.
(1) Ahoy!

CRYPTO 47

(10) Tumult op het
Franse slotfeest.
(5) Als het klopte,
een onhoudbare
bliksemschicht.
(3) Te laat eerlijk
geweest helaas.
(1) Ze noemden hem
Jerommeke.

CRYPTO 48

(10) 22 of 23, eigenlijk
maakt dat ook niet
meer uit.
(5) Vier op een rij? Nee,
tien keer achter elkaar.

③ Van het genre Kittel,
Cipollini, Cavendish.

① Dédé was zijn bijnaam.

CRYPTO 49

⑩ Ben je al zes uur in
de weer geweest,
kun je nóg een uur
wachten op het verdict
van Dijon.

⑤ Zijn brilletje verried al
grote redenaarskunsten.

③ Ooit de held op de
Alto de Naranco.

① Wat deed hij bij Polti?

CRYPTO 50

⑩ Als schilder lukte het
beter binnen de lijntjes
te kleuren dan op de
fiets.

⑤ Het geel liet niet
lang op zich wachten,
al was het geluk
kortstondig.

③ Op de latten denk
je al snel aan
Eddie the Eagle.

① Zwitserse vader,
Hollandse moeder.

CRYPTO 51

⑩ Danny en Gert, net zo
bezeten, maar minder
bedreven.

⑤ Net zo snel in prologen
als in de eindsprints.

③ Groen in 1986.

① Post zag zelden zoveel
klasse in zijn ploeg.

CRYPTO 52

⑩ Liga of Riga?

⑤ Nee, moeders mooiste
ging niet op voor hem.

③ Zelfs de grote van
Navarra lag een keer
duf in de Alpentouwen.

① Piet uit Letland.

CRYPTO 53

⑩ Vermeende vampier
uit het Zillertal.

⑤ Kristalhelder?
Het was schijn.

③ Toch lang op hete kolen
gezeten, net als velen
in de buurt.

① Top tien in de Grote Drie.
Uit Oostenrijk. Dat
gebeurt niet veel meer.

CRYPTO 54

(10) Koning van
de adrenaline.

(5) Vochtig geel en
veel pijn.

(3) Zeker weten dat vader
Jens in 1991 heeft staan
huilen.

(1) Deens dynamiet, óók al
vermengd met epo.

CRYPTO 55

(10) Debuut op de dag
van Beatrix.

(5) In de leer bij de graaf.

(3) Als jonkie top
in de Oudste.

(1) Bolletjescafé.

CRYPTO 56

(10) Aap met de snelheid
van een hazewindhond.

(5) Afvallen is een kunst,
aankomen een vak.

(3) Wachten tot het
groen wordt.

(1) Zabel, Kittel en...

CRYPTO 57

(10) Vruchtbare grond,
daar in oostelijke
richting.

(5) Vlug zaaien,
snel oogsten.

(3) Boom heet zo,
maar hij is het.

(1) Zonnekoning in 2013.

CRYPTO 58

(10) Een vlinder in de lente.

(5) Kanonskogel van
een netwerkprovider.

(3) Kire lebaz, is dat
geen Turks voor...?

(1) Eens zien wat Rick
ervan bakt.

CRYPTO 59

(10) Jarenlang een naam in
raadselen gehuld.

(5) De beste sportman van
Alphen aan den Rijn in
2009.

(3) Arbeider bij een product
van Zwitsers vernuft.

(1) Ging prachtig dood
op dé Alp.

CRYPTO 60

(10) Karaktertrek van
een zeevrucht.

(5) Geen Heer van stand
in die hoek.

(3) Parijs kon z'n rug op.

(1) Amstel Gold...

GEEN JOUR
ZONDER TOUR
TOUR DE FRANCE

RAAD
DE PLAAT

Raad de plaat

Welke Tourheld herken je op het plaatje? Vooropgesteld dat alle mannen die zich ooit aan de gruwelen van de Touroorlog waagden, ook echte helden zijn en daarom zijn uitverkoren, betekent dat niet automatisch dat ze ook herkenbaar zijn. Vandaar dat een kleine aanwijzing best mag.

> **1** Wie is deze drievoudige Tourdeelnemer, die in 2010 op 45-jarige leeftijd bij een autorally verongelukte?

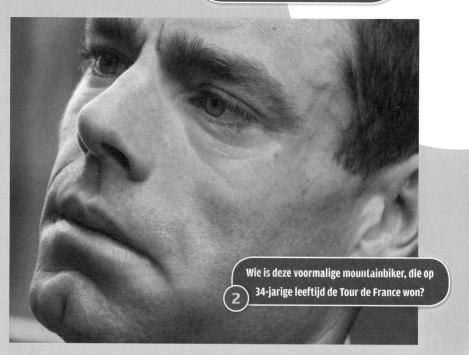

> Wie is deze voormalige mountainbiker, die op 34-jarige leeftijd de Tour de France won? **2**

4 Wie is deze voormalige ploeggenoot van Lance Armstrong, die in 2005 zijn gele trui verloor door een valpartij in de ploegentijdrit?

3 Wie is deze Spanjaard, die in 2003 in zijn eerste Tour met een denkbeeldige handboog zijn ritwinst in Toulouse vierde?

5 Wie is deze Nieuw-Zeelander, die net als Oscar Freire in 2009 onder vuur werd genomen vanuit het publiek in de rit naar Colmar?

6 Wie is deze renner, wiens voornaam met dezelfde letter begint als zijn achternaam?

8 Wie is deze renner, die in 2006 op Nederlandse bodem zijn enige ritzege ooit in de Tour won?

Wie is deze renner, die Maarten den Bakker in 1998 een ritzege door de neus boorde in Autun?

7

Wie is deze in Frankrijk geboren zoon van een niet Franse oud-Tourwinnaar?

9

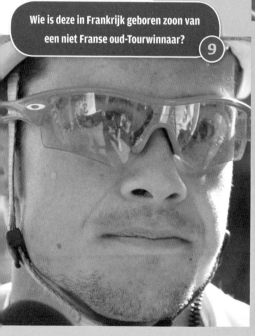

10 Wie is deze meesterknecht van de Tourwinnaar in 2013?

Wie is deze Italiaan, die in 2005 een etappe won en bekendstond als een van de beste dalers van het peloton?

12

Wie is deze renner met de vele gezichten?

11

Wie is deze renner, die ooit de Tour moest verlaten omdat hij te lang aan een volgwagen had gehangen?

13

Wie is deze renner, die door L'Équipe tot slechtste klimmer ooit in de Tourgeschiedenis werd uitgeroepen?

14

Wie is deze Italiaanse playboy, die vooral na afloop van de Tour in de disco piekte? 15

Wie is deze lange Rus, die ooit de beste was in het jongerenklassement? 16

Wie is deze renner, die in het oranje twee keer vijfde werd in de Tour? 17

18 Wie is deze renner, die ooit een fotolens van heel dichtbij zag?

Wie is deze renner, die in de Tour de France van 2010 de latere wereldkampioen van 2013 met een wiel te lijf ging?

19

Wie is **20** deze renner, die in 2004 vierde werd in het eindklassement van de Tour de France?

Wie is deze oud-renner, die de schoonvader is van Adrie van der Poel? **21**

Wie is deze renner, die de **22** Tour van 2003 uitreed met een scheur in zijn schouderblad?

Wie is deze renner, die in 2008 in het Italiaanse Prato Nevoso zijn eerste etappezege boekte? 24

Wie is deze renner, die in 2007 en 23 2008 in de top tien van de Tour de France eindigde en in 2010 vanwege hartproblemen moest stoppen?

In welke Nederlandse provincie is 25 deze renner geboren?

Wat is de bijnaam van deze renner? 26

27 Wat is de voornaam van de vrouw van deze zesvoudige winnaar van het puntenklassement?

28 Uit welk land komt deze teammanager?

29 Wie is deze sprinter, die op 4 juli, de nationale feestdag van zijn vaderland, in 2011 een massasprint won?

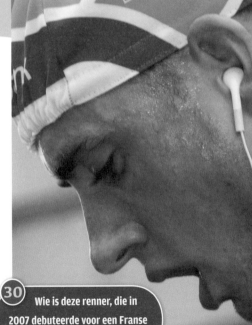

30 Wie is deze renner, die in 2007 debuteerde voor een Franse ploeg in de Tour?

ANTWOORDEN

TOURQUIZ

De antwoorden op alle quizvragen per jaartal:

VOOR WO II

1. 60 renners
2. Italië
3. Luxemburg
4. Lucien Petit-Breton, François Faber, Octave Lapize
5. Évian-les-Bains
6. Nantes
7. Albert Gijsen, Albert van Schendel, Antoon van Schendel
8. Col de l'Iséran
9. Antoon van Schendel
10. Eugène Christophe

NA WO II TOT 1980

1. Albert Bourlon
2. Galibier
3. Brasschaat
4. Hugo Koblet
5. Ab Geldermans, Huub Zilverberg, Dick Enthoven
6. 1970
7. 1969
8. Martin Van Den Bossche
9. Aad van den Hoek
10. Hij gaf tijdens de beklimming van de

Puy de Dôme Eddy Merckx een vuistslag in zijn lever

1980

1. Frankfurt, Gerrie Knetemann, Jan Raas, Cees Priem, Leo van Vliet, Henk Lubberding, Johan van der Velde, Paul Wellens, Bert Oosterbosch, Bert Pronk
2. Hij moest lossen in de ploegentijdrit en kwam buiten tijd aan
3. Raymond Martin (3e), Johan De Muynck (4e), Joaquim Agostinho (5e), Christian Seznec (6e), Sven-Ake Nilsson (7e), Ludo Peeters (8e), Pierre Bazzo (9e), Henk Lubberding (10e)
4. D
5. Jan Raas en Joop Zoetemelk namens Nederland, Rudi Pevenage en Pol

Verschuere namens België

6. Yvon Bertin
7. Pra-Loup, Jos Deschoenmaeker
8. Jan Jonkers
9. Mart Smeets, hij miste de finale van de Tour omdat hij naar de Spelen in Moskou moest van de NOS
10. Ronaldinho, Bradley Wiggins, Martina Hingis en Venus Williams

1981

1. Jan en Adri van Houwelingen, Walter en Eddy Planckaert, Marino en Ismael Lejarreta, Patrick en Jean-Paul Hosotte, Paul, Johan en Leo Wellens
2. C
3. Phil Anderson
4. C
5. Albert Zweifel, Roland Liboton en Hennie Stamsnijder

⑥ Jean-François
Pescheux

⑦ 2. Lucien Van Impe, 3.
Robert Alban, 4. C, 5.
Peter Winnen, 6. Jean-
René Bernaudeau, 7.
Johan De Muynck, 8.
Sven-Ake Nilsson, 9.
Claude de Criquielion,
10. Phil Anderson

⑧ Peter Winnen na l'Alpe
d'Huez

⑨ Johan van der Velde

⑩ Coop-Mercier-Mavic

1982

❶ D

❷ Joop Zoetemelk (2e),
Johan van der Velde
(3e), Peter Winnen
(4e) en Hennie Kuiper
(9e)

❸ Kuiper – Super
Fairplay, Bernard
Hinault – Beste
tijdrijder,
Eugène Urbany –
Vriendelijkste coureur,
Jan van Houwelingen
– Beste ploegmaat,
Maier – Fairplay,
Gomez – Laatste
kilometer

④ Jostein Wilmann, Sean
Kelly, Paul Sherwen,
Phil Anderson,
Jonathan Boyer, Sven-
Ake Nilsson

⑤ Beat Breu

⑥ Danguillaume,
Guimard, De Muer

⑦ Ludo Peeters

⑧ Triatlon

⑨ Eddy Merckx, Fausto
Coppi en Jacques
Anquetil

⑩ Giovanni Battaglin

1983

❶ Pascal Simon, Peugeot

❷ Frits Pirard, winnaar
van de eerste rit

❸ Angel Arroyo

❹ Ludo De Keulenaer

❺ Jean-René Bernaudeau

❻ D

❼ C

❽ Metauromobili-
Pinarello, de zesde
bergtrui

❾ Henk Lubberding

❿ Joaquim Agostinho

1984

❶ B

❷ Jacques Hanegraaf

droeg de trui twee
dagen, Adri van der
Poel een dag

❸ Fons De Wolf

❹ Hij was de eerste
Zuid-Amerikaanse
ritwinnaar, zijn
bijnaam luidde 'de
kleine tuinman'

❺ C

❻ B

❼ Marc Sergeant

❽ Marc is van 1959,
Yvon van 1962; Yvon
won de titel in 1986,
zijn broer het jaar erop

❾ Jan Raas

❿ C

1985

❶ Guimard-Quilfen,
Post-De Wever, Raas-
Van Der Schueren,
Echavarri-Unzuè,
Godefroot-Lefevere,
Geminiani-Thevenet,
Koechli-Le Guilloux

❷ Maarten Ducrot en
Adri van der Poel

❸ Hennie Kuiper en
Dirk Demol waren
ploegmaten bij
Verandalux en

mogen zich beiden winnaar noemen van Parijs-Roubaix

❹ Teun van Vliet

❺ Joop Zoetemelk 12e, Eddie Schepers 14e, Peter Winnen 15e en Claude Criquielion 18e

❻ Eric Vanderaerden

❼ Gerrit Solleveld, Henri Manders, Maarten Ducrot, en Johan Lammerts

❽ Steve Bauer

❾ Op Lucien van Impe na waren alle anderen Tourdebutanten

❿ Miguel Indurain

1986

❶ A

❷ Guido Bontempi

❸ Thierry Marie, Alex Stieda, Thierry Marie, Dominique Gaigne, Johan van der Velde, Jörgen-Vagn Pedersen, Bernard Hinault, Greg LeMond

❹ B

❺ Philips Dupont Magnetics

❻ Robert Gesink en

Bauke Mollema

❼ Steven Rooks, hij werd 17e

❽ Eric Heiden, Pedro Delgado en Erwin Nijboer

❾ Urs Zimmermann (3e) en Niki Rüttimann

❿ B

1987

❶ Hans-Wilhelm Müller-Wohlfahrt

❷ Roberto Visentini, Davide Boifava, Carrera-Vagabond en Eddy Schepers

❸ Villach (Oos)

❹ Francisco Antequera

❺ Jeff Pierce

❻ Guido Van Calster

❼ Lech Piasecki

❽ Erich Maechler

❾ Jean-François Bernard

❿ B

1988

❶ Miguel Indurain 47e, Tony Rominger 68e, Marino Lejarreta 16e, Hennie Kuiper 95e

❷ Kees Pellenaars

❸ Pedro Delgado en

Gert-Jan Theunisse (alleen Theunisse werd bestraft)

❹ D

❺ Pascal Richard

❻ Johnny Weltz, Laudelino Cubino en Massimo Ghirotto

❼ Gert-Jan Theunisse

❽ D

❾ C

❿ Omdat er geen enkele ritzege werd behaald

1989

❶ 58

❷ Thierry Marie

❸ Rene Beuker

❹ Laurent Fignon, Pedro Delgado, Gert-Jan Theunisse, Marino Lejarreta, Charly Mottet, Steven Rooks, Raul Alcala, Sean Kelly, Robert Millar

❺ Greg LeMond

❻ 8x Greg LeMond, 9x Laurent Fignon

❼ Frank Hoste, Janusz Kuum, Johan Lammerts, René Martens, Johan Museeuw, Eddy

Planckaert, Ronny
Van Holen, Philip Van
Vooren
❽ Bjarne Riis
❾ Pedro Delgado
❿ Erik Breukink
(proloog),
Jelle Nijdam
(4e en 14e),
Matthieu Hermans
(11e), Steven Rooks
(15e) en Gert-Jan
Theunisse (17e)

1990
❶ Rodolfo Massi (1 dag)
❷ Thierry Marie, Ronan
Pensec en Greg
LeMond (2 dagen),
Claudio Chiappucci (8
dagen), Steve Bauer (9
dagen)
❸ Lac de Vassivière
❹ Frans Maassen
❺ Olaf Ludwig
❻ Maassen: Amstel Gold
Race. Argentin: Ronde
van Vlaanderen,
Luik-Bastenaken-
Luik (4 keer), Waalse
Pijl (3 keer), Johan
Museeuw: Ronde van
Vlaanderen (3 keer),

Parijs-Roubaix (3
keer), Amstel Gold
Race, Jelle Nijdam:
Amstel Gold Race,
Gianni Bugno: Milaan-
Sanremo, Ronde van
Vlaanderen
❼ C
❽ Djamolidin
Abdoesjaparaov,
Pjotr Oegroemov en
Dimitri Konisjev
❾ Thierry Claveyrolat
❿ Claudio Chiappucci en
Ronan Pensec

1991
❶ Gérard Rué
❷ Uwe Raab, Falk
Boden, Sean Kelly,
Martin Early en Raul
Alcala
❸ Ferdi Van Den Haute
❹ Erik Breukink (3e),
Sean Kelly (6e), Raul
Alcala (9e)
❺ Miguel Indurain,
Banesto, Gianni
Bugno, Gatorade,
Claudio Chiappucci,
Carrera
❻ Rob Harmeling
laatste, Wiebren

Veenstra voorlaatste
❼ Djamolidin Abdoesja-
parov kwam ten val
en moest ondersteund
door een dokter over
de finish lopen om zijn
trui veilig te stellen.
Dat nam twintig
minuten in beslag
❽ Dimitri Konisjev
❾ Jean-Paul van Poppel
❿ Rolf Sørensen brak als
gele-truidrager een
sleutelbeen bij een val
en moest opgeven

1992
❶ Peter Pieters
❷ Frans Maassen en
Marc Sergeant
❸ Andy Hampsten
❹ Spanje, Italië,
Frankrijk, Duitsland,
België, Luxemburg
en Nederland
❺ Pascal Lino
❻ Greg LeMond
❼ Z
❽ Jean-Paul van Poppel,
Michael Boogerd,
Jeroen Blijlevens, Bart
Voskamp, Leon van
Bon, Erik Dekker,

Karsten Kroon,
Servais Knaven,
Pieter Weening
❾ Gianni Bugno
❿ Jaizkibel

1993

❶ Eddy Bouwmans
❷ Festina
❸ Davide Cassani
❹ Festina: Steven
Rooks, Geert Jakobs
en Jean-Paul Poppel,
ONCE: Erik Breukink,
ZG-Mobili: John van
den Akker, TVM:
Maarten den Bakker,
Gerrit de Vries,
Danny Nelissen, John
Talen, Novémail:
Eddy Bouwmans,
Wordperfect: Rob
Mulders, Frans
Maassen, Jelle Nijdam,
Amaya: Tom Cordes
❺ Djamolidin
Abdoesjaparov
(punten), Tony
Rominger (berg)
❻ Tijdrijden van Miguel
Indurain
❼ Zenon Jaskula, Johan
Bruyneel, Bjarne Riis,

Claudio Chiappucci
❽ C
❾ Amaury Sport
Organisation
❿ Laurent Fignon

1994

❶ Lille, 2e plaats
❷ José-Miguel Echavarri
en Eusebio Unzuè
❸ Frederico
Bahamontes, Luis
Ocaña, Pedro Delgado,
Oscar Pereiro, Carlos
Sastre, Alberto
Contador
❹ 12x, 2x opgave, 10e
in 1990
❺ Richard Virenque
❻ John Talen
❼ Rob Harmeling,
gediskwalificeerd
omdat hij (te) lang
aan de auto van
de ploegleider had
gehangen
❽ Alex Zülle, Erik
Breukink, Hermino
Diaz-Zabala, Alberto
Leanizbarrutia,
Oliveira Rincon,
Laurent Jalabert,
Laurent Dufaux,

Roberto Sierra, Neil
Stephens
❾ 60 dagen, 1 rit in lijn,
Prudencio
❿ Gianni Bugno en
Claudio Chiappucci
(beiden 2x)

1995

❶ Chris Boardman
❷ Alex Zülle
❸ Thierry Laurent,
Francis Moreau en
Laurent Brochard
❹ Laurent Jalabert (2
dagen), Ivan Gotti (2
dagen), Bjarne Riis,
Johan Bruyneel
❺ Eddy Seigneur
❻ Erik Dekker en
Hernán Buenahora
❼ Yvon Ledanois (30e
op 14.04), Francois
Lemarchand (92e op
2.58,26) en Rous (55e
op 2.07,39)
❽ Banesto
❾ Erik Breukink (ONCE),
Jeroen Blijlevens,
Tristan Hoffman,
Jelle Nijdam, Maarten
den Bakker en Bart
Voskamp (TVM),

Eddy Bouwmans, Erik Dekker, Frans Maassen en Leon van Bon (Novell)

⑩ Jim Ochowicz

1996

❶ Alex Zülle (Vuelta 1996 en 1997), Evgeni Berzin (Giro 1994), Abraham Olano (Vuelta 1998), Tony Rominger (Vuelta 1992, 1993 en 1994, Giro 1995), Bjarne Riis (Tour 1996), Miguel Indurain (Tour 1991 t/m 1995, Giro 1992 en 1993), Laurent Jalabert (Vuelta 1995), Melchor Mauri (Vuelta 1991)

❷ Chris Boardman

❸ Jeroen Blijlevens

❹ Cyril Saugrain

❺ Lance Armstrong

❻ Erik Zabel –Frédéric Moncassin – Fabio Baldato – Djamolidin Abdoesjaparov – Jeroen Blijlevens – Andrei Tchmil – Bjarne

Riis – Andrea Ferrigato – Richard Virenque– Mariano Piccoli

❼ Roberto Conti was de eerste opgever, Jean-Claude Colotti de laatste

❽ Bjarne Riis

❾ Leif Mortensen werd 6e in 1971, Kim Andersen was de eerste Deen die geel droeg (1983), daarna kwamen Per Pedersen (1986) en Rolf Sørensen (1991)

⑩ Léon van Bon. Hij werd tot strijdlustigste renner uitgeroepen en veroverde die dag de bergtrui

1997

❶ Peter Meinert Nielsen

❷ Hij verscheen elke dag in een outfit die volgens de reglementen verboden was, en kreeg daarvoor dagelijks een boete van 200 Zwitserse frank

❸ Djamolidin Abdoesjaparov

❹ Laurent Brochard

❺ Batik-Del Monte. De andere Italiaanse teams: Mercatone Uno, Saeco-Estro, Roslotto-ZG Mobili, Team Polti, Mapei-GB en MG-Technogym

❻ Gordon Fraser

❼ Marco Pantani en José-Maria Jiménez

❽ Telekom, Mercatone Uno, Festina, Kelme, Mapei-GB, Rabobank, Casino

❾ Philippe Gaumont, 139e, Cofidis, Mario Traversoni, 100e, Mercatone Uno, José-Luis Arrieta, 75e, Banesto en Andrea Peron, 56e en Française des Jeux

⑩ Abraham Olano, Fernando Escartin en Francesco Casagrande

1998

❶ De Nederlandse stal TVM wilde gebruikmaken van tijdritpakken met 'strips' erop (afgekeken van de

schaatsers) om minder
luchtweerstand te
hebben
❷ 52. Dekker,
54. Jonker, 56.
Moerenhout, 58.
Vierhouten
❸ 500e etappe
❹ Rodolfo Massi
❺ Franco Ballerini en
Andrei Tchmil
❻ Laurent Roux, Lars
Michaelsen, Peter van
Petegem en Jeroen
Blijlevens
❼ Cofidis
❽ Geel: Marco Pantani,
Jan Ullrich, Bobby
Julich; Bolletjes:
Christophe Rinero,
Marco Pantani,
Alberto Elli; Groen:
Erik Zabel, Stuart
O'Grady, Tom Steels;
Strijdlust: Jacky
Durand, AndreaTafi,
Stephane Heulot
❾ Bo Hamburger
❿ D

1999
❶ Alex Zülle in 1999, Jan
Ullrich in 2000, 2001

en 2003, Joseba Beloki
in 2002, Andreas
Klöden in 2004, Ivan
Basso in 2005
❷ B
❸ Capelle
❹ Italië 42, Frankrijk
39, Spanje 32,
België 16, Amerika
8, Zwitserland en
Duitsland 7
❺ Pietro en Vittorio
Algeri ; Marc en Yvon
Madiot
❻ Michael Boogerd
56e, Marc Lotz 72e,
Maarten den Bakker
84e, Patrick Jonker
97e, Erik Dekker
107e, Beat Zberg
109e en Robbie
McEwen 122e
❼ Jaan Kirsipuu
❽ B, Mariano Piccoli
❾ David Etxebarria,
Francois Simon,
Alberto Elli, Steve
De Wolf, José Joaquin
Castelblanco,
Massimiliano Lelli en
Frederic Bessy
❿ A

2000
❶ Mapei
❷ Jans Koerts
❸ Jeroen Blijlevens
❹ Santiago Botero en
Javier Otxoa
❺ Van de Wouwer,
Verheyen, Mattan,
Aerts en Wauters
❻ Walter Godefroot
10, Guido Bontempi
6, Johan Bruyneel
2, Rudy Pevenage
1, Jean-René
Bernaudeau,
Claude Criquielion en
Hendrik Redant
0 zeges
❼ Col de Joux-Plane
❽ D
❾ Marcel Wüst
❿ USP, Joseba, Fes,
Moreau, Fra, Roberto
Heras

2001
❶ C
❷ Jan Svorada
❸ Johan Verstrepen
❹ Bonjour
❺ Cofidis, Pontarlier,
Erik Dekker
❻ Lance Armstrong, Jan

Ullrich en
Joseba Beloki

❼ Parijs-Nice

❽ Rugnummer 1: Lance
Armstrong – 1e in de
Tour; rugnummer 51:
Michael Boogerd – 10e
in de Tour; rugnummer
131: Laurent Jalabert
–CSC-Tiscali – 258
punten als winnaar
van de bergtrui;
de top vier van het
jongerenklassement;
Lance Armstrong-
Roberto Heras-
Viatscheslav Ekimov-
Tyler Hamilton-George
Hincapie-Steffen
Kjaergaard-Victor
Pena-José-Luis
Rubiera-Christian
Vandevelde

❾ Giancarlo Ferretti

❿ Florent Brard

2002

❶ Laurent Jalabert en
Bradley McGee

❷ Santiago, Lance,
Serhiy , Igor, Laszlo,
Raimondas, David

❸ Gontchar (3e),

Bodrogi (5e), Rumsas
(6e), Ekimov (11e),
Belohvosciks (16e)

❹ Karsten Kroon

❺ B

❻ Peter Luttenberger

❼ C

❽ Mario Aerts

❾ De drie ploegen die het
minst hadden verdiend

❿ Joseba Beloki,
Lance Armstrong,
Laurent Jalabert,
Denis Menchov,
Andrei Kivilev, Levi
Leipheimer, Patrice
Halgand, Oscar
Sevilla, Richard
Virenque en Fabio
Baldato

2003

❶ Servais Knaven en
Bradley McGee

❷ Jean-Patrick Nazon,
Jean Delatour

❸ US Postal

❹ Vladimir Karpets,
Denis Menchov en
Evgeni Petrov, in die
volgorde alle dagen

❺ Marc Lotz en Levi
Leipheimer

❻ Door het mogen
dragen van een rood
rugnummer de dag
erop

❼ Robbie McEwen,
Romans Vainsteins,
Jaan Kirsipuu en
Baden Cooke.
Moment van stoppen:
Vainsteins (2004),
McEwen 2012),
Kirsipuu (2012),
Cooke (2013)

❽ Remmert Wielinga

❾ Ivan Basso

❿ Tyler Hamilton, die
met een gebroken
schouderblad de
17e etappe won;
Richard Virenque, die
dankzij zijn ritwinst
op Morzine het geel
veroverde; Lance
Armstrong, die in de
afdaling van De la
Rochette de gevallen
Joseba Beloki net wist
te ontwijken en via
een weide weer op
de weg sprong; Iban
Mayo, ritwinnaar op
l'Alpe d'Huez

2004

❶ B

❷ Portugal en
Oostenrijk; José
Azevedo (5e),
Georg Totschnig (7e)

❸ Aart Vierhouten

❹ A

❺ Iban Mayo

❻ Thomas Voeckler

❼ Michael Boogerd 74e,
Marc Lotz 90e, Koos
Moerenhout 100e

❽ C

❾ Zestien jaar

❿ Gerrie Knetemann
debuteerde bij
Gan-Mercier, hij zou
dertien keer starten
en won tien ritten

2005

❶ Pieter Weening

❷ Lance Armstrong,
geel; Thor Hushovd,
groen; Michael
Rasmussen, bolletjes;
Yaroslav Popovich, wit

❸ Karlsruhe, 3e

❹ Erik Dekker en
Karsten Kroon

❺ Iker Flores, 4 uur 20
en 24 seconden, zijn

broer had 'maar' 3.35
uur achterstand

❻ C

❼ Erik Dekker, Karsten
Kroon en Michael
Boogerd. George
Hincapie won de rit

❽ Gianluca Bortolami
(Ronde van
Vlaanderen in 2001)
en Magnus Backstedt
(Parijs-Roubaix in
2004)

❾ Paolo Savoldelli,
Roslotto, Saeco,
Index-Alexia,
Telekom, T-Mobile,
Discovery Channel,
Astana, LPR Brakes

❿ Alexandre Vinokourov

2006

❶ T-Mobile (geen Jan
Ullrich en Oscar
Sevilla), AG2R (geen
Mancebo), CSC
(geen Ivan Basso),
Comunidad Valenciana
(hele ploeg) en Astana
(hele ploeg)

❷ Joost Posthuma, hij
werd 23e in de proloog

❸ B

❹ Fred Rodriguez en
Alejandro Valverde

❺ Isaac Galvez, hij kwam
om in Gent en zijn
ploegmaat heette Juan
Llaneras

❻ Sebastian Lang (3e),
Patrik Sinkewitz (6e),
Marcus Fothen (7e),
Andreas Klöden (8e),
Nederlander: Joost
Posthuma (10e)

❼ C

❽ Cyril Dessel

❾ Robert Hunter

❿ De proloog

2007

❶ C

❷ André Leducq,
Greg LeMond,
Louison Bobet

❸ In de Ronde van
Zwitserland

❹ Christian Moreni

❺ Denis Menchov

❻ Cadel Evans (2e) en
Levi Leipheimer (3e)

❼ Stef Clement Bouygues
Telekom,
Bram Tankink en
Steven de Jongh
bij Quick-Step

⑧ Michael Rogers en
Mark Cavendish

⑨ Joop Zoetemelk,
Huub Zilverberg,
Peter Zijerveld
en Cees Zoontjes

⑩ Alexandre Vinokourov
2.87, Alejandro
Valverde en Andreas
Klöden 5.00, Cadel
Evans en Carlos
Sastre 13.00, Levi
Leipheimer 17.00
en Alberto Contador
29.00

2008

❶ Agritubel, Barloworld
en Garmin-Chipotle

❷ Manuel Beltran,
Dimitri Fofonov,
Leonardo Piepoli,
Riccardo Ricco,
Jimmy Casper, Stefan
Schumacher, Bernard
Kohl, Moises Duenas

❸ D

❹ Voor: Sandy Casar
14e, Vincenzo Nibali
20e, Stephane
Goubert 21e, Achter;
Chris Froome 84e,
Luis-Léon Sanchez

62e, Sylvestre Szmyd
26e

❺ Wim Vansevenant

❻ Bernhard Eisel

❼ AG2R (2e), Crédit
Agricole (10e), Cofidis
(11e), Bouygues
Telecom (13e),
Française des Jeux
(15e) en Agritubel
(19e)

❽ Pieter Weening

❾ 26: Mark Cavendish
25 en Oscar Pereiro 1

❿ Maxime Montfort, 23e

2009

❶ Alberto Contador,
Lance Armstrong,
Andreas Klöden,
Ronan Kreuziger,
Bradley Wiggins,
Vincenzo Nibali

❷ Cyril Lemoine, 27e in
het puntenklassement,
Albert Timmer, 50e in
het bergklassement,
Thierry Hupond,
16e in het
jongerenklassement

❸ C

❹ Franco Pellizotti

❺ Andy Schleck

❻ Kenny van Hummel

❼ Heinrich Haussler,
ritwinnaar in Colmar

❽ Jens Voigt

❾ Juan Manuel Garate
won de prestigieuze
etappe naar de Mont
Ventoux

❿ Fumiyuki Beppu,
die dag de meest
strijdlustige renner

2010

❶ Niki Terpstra

❷ Xavier Florencio

❸ Slovenië (Brajkovic),
Kazachstan
(Muravyev),
Duitsland (Klöden),
Portugal (Paulinho),
Oekraïne (Popovich),
Zwitserland (Rast)

❹ Dirk Demol:
RadioShack; Bjarne
Riis: Saxo Bank;
Matthew White:
Garmin; Yvon
Ledanois: Caisse
d'Épargne; Jean-Paul
van Poppel: Cervélo;
Sean Yates: Team
Sky; Mauro Gianetti:
Footon-Servetto

❺ Gerald Ciolek,
Alessandro Ballan

❻ Mark Renshaw deelde
tot drie keer toe een
kopstoot uit aan
Julian Dean en werd
gediskwalificeerd

❼ 23e

❽ Martijn Maaskant

❾ Maarten Wynants

❿ C

2011

❶ 2005, zes keer top
tien, drie ritzeges

❷ Jurgen Van Den Broeck

❸ Johnny Hoogerland
droeg vijf dagen de
bolletjestrui, Robert
Gesink had vijf dagen
het wit in bezit

❹ Drie dezelfde namen
in de top drie van de
rit: Samuel Sanchez,
Jelle Vanendert en
Frank Schleck, zij het
in andere volgorde

❺ Johnny Hoogerland en
Juan Antonio Flecha

❻ Joost Posthuma

❼ Saur-Sojasun, Trek-
Leopard, Saxo Bank,

BMC, Cofidis, HTC/
Highroad, Liquigas

❽ Tegen de klok in

❾ Vier Spanjaarden:
Alberto Contador,
Jesus Hernandez,
Daniel Navarro en
Benjamin Noval, tegen
drie Denen: Nicki
Sørensen, Chris Anker
Sørensen en Brian
Vandborg

❿ Niemand, hij was de
eerste

2012

❶ Roy Curvers

❷ C

❸ Sinds 2002,
Kwantum,
Superconfex en
Domex-Weinmann

❹ Frederik Kessiakoff

❺ Cavendish, Sagan,
Goss, Haedo,
Boeckmans,
Henderson, Bozic,
Greipel, Boasson
Hagen, Engoulvent,
Farrar, De Kort,
Paolini

❻ Steven Kruijswijk

❼ Française des Jeux

❽ Alejandro Valverde

❾ Ryder Hesjdal won de
Giro, Alberto Contador
zegevierde in de Vuelta

❿ Juraj

2013

❶ B

❷ Bastia, Ajaccio, Calvi

❸ Marcel Kittel, Jan
Bakelants, Simon
Gerrans

❹ Movistar en Argos

❺ B

❻ Ted King

❼ B

❽ 2e en 5e; 6e en 13e

❾ Alberto Contador,
Matteo Tosatto,
Roman Kreuziger,
Michael Rogers,
Nicolas Roche,
Daniele Bennati,
Sylvain Chavanel,
Niki Terpstra, Mark
Cavendish, Bauke
Mollema, Laurens Ten
Dam, Peter Sagan,
Maciej Bodnar en
Jakob Fuglsang

❿ Tejay van Garderen

KIES DE JUISTE ROUTE

De antwoorden op alle routevragen per jaartal:

1906
- Ballon d'Alsace
- zelfdoding
- verstuikte enkel
- 27-jarige leeftijd

1919
- Belg
- de eerste gele-truidrager
  uit België
- voorvork
- 36 jaar

1947
- René Vietto
- Belg
- Pierre
- 5e

1953
- de Breton
- suikerziekte
- Fausto Coppi
- meer rijst en vruchten

1954
- Amsterdam
- Jacques Goddet
- concurrentie
- Wout Wagtmans

1956
- Poolse afkomst
- volstrekste outsiders
- een regionaal team
- een Walkowiakje

1958
- Franse sprinter
- baancommissaris
- vijf
- Pierino Baffi

1960
- Limburger
- wees gedecideerd met
  zijn arm naar rechts
- Julien Schepens

1974
- Plymouth
- Jacques Esclassan
- Frisol

1975
- de beste jongere
- Francesco Moser
- Charleroi
- zevende

1983
- Pascal Simon
- Peugeot
- scheur in het
  schouderblad
- l'Alpe d'Huez

1984
- amateur
- Colombiaan
- l'Alpe d'Huez
- de Kleine Tuinman

1986
- Bernard Hinault
- Greg LeMond
- Pyreneeën
- hand in hand

1987
- Stephen Roche
- Pedro Delgado
- wereldkampioen
- ploegentijdrit

2003
- Levi Leipheimer
- Marc Lotz
- 1e
- Baden Cooke

2003

– David Millar
– aflopende ketting
– achthonderdste
   van een seconde

2003

– Smeltend asfalt
– Joseba Beloki
– Col de la Rochette

2006

– Oscar Pereiro Sio
– Floyd Landis
– Ivan Basso
– Operacion Puerto

2008

– Carlos Sastre
– speen in de mond
– de gebroeders Schleck
– Alberto Contador

2009

– 'Ik weet altijd
   waar de streep ligt'
– driemaal
– vier ritzeges
– met een luchtbuks
   was beschoten

GEVANGEN IN CRYPTO

De antwoorden op alle cryptovragen:

1 Oscar Freire
2 Lieuwe Westra
3 Pieter Weening
4 Carlos Sastre
5 Jean-Paul Van Poppel
6 Bradley Wiggins
7 Gerard Vianen
8 Fedor Den Hertog
9 Janusz Kuum
10 Bolletjestrui
11 Col De La Madeleine
12 Col De La Bonette De Restéfond
13 Jacques Goddet
14 Alexandre Vinokourov
15 Jurgen Van Den Broeck
16 Greg Van Avermaet
17 Bram Tankink
18 Cees Priem

19 Wilfried Peeters
20 Giuseppe Guerini
21 Frans Maassen
22 Fausto Coppi
23 Rik Van Steenbergen
24 Louison Bobet
25 Gustave Garrigou
26 Ferdinand Kübler
27 Roger De Vlaeminck
28 Jan Ullrich
29 Tony Rominger
30 Herman Van Springel
31 Giuseppe Saronni
32 Francesco Moser
33 Hugo Koblet
34 Abraham Olano
35 Willy Voet
36 Martin Bruin
37 Tom Steels
38 Michel Pollentier
39 Alfredo Binda

40 Rik Van Looy
41 Marco Pantani
42 Lucien Van Impe
43 Yaroslav Popovich
44 Jan Boven
45 Bradley McGee
46 Niki Terpstra
47 Jeroen Blijlevens
48 André Darrigade
49 Bart Voskamp
50 Alex Zülle
51 Eric Vanderaerden
52 Pjotr Oegroemov
53 Georg Totschnig
54 Rolf Sørensen
55 Steven Rooks
56 Andre Greipel
57 Marcel Kittel
58 Erik Zabel
59 Tejay Van Garderen
60 Jan Raas

RAAD DE PLAAT

De namen bij alle foto's:

1 Franco Ballerini	12 Paolo Savoldelli	23 Kim Kirchen
2 Cadel Evans	13 Rob Harmeling	24 Simon Gerrans
3 Juan-Antonia Flecha	14 Kenny van Hummel	25 Overijssel (Bram Tankink)
4 David Zabriskie	15 Filippo Pozzato	26 De Gorilla (André Greipel)
5 Julian Dean	16 Vladimir Karpets	
6 Levi Leipheimer	17 Haimar Zubeldia	27 Cordula (Erik Zabel)
7 Magnus Bäckstedt	18 Giuseppe Guerini	28 België (Patrick Lefevere)
8 Matthias Kessler	19 Carlos Barredo	
9 Nicolas Roche	20 Christophe Moreau	29 Tyler Farrar
10 Richie Porte	21 Raymond Poulidor	30 Stef Clement
11 Thomas Voeckler	22 Tyler Hamilton	

NOTITIES

NOTITIES